LA QUÉBÉCOITE

Du même auteur

La société française en 1789 : Semur-en-Auxois, Paris, Plon, 1970.

Histoire et linguistique, Paris, Armand Colin, 1973.

Le cheval blanc de Lénine ou l'Histoire autre, Bruxelles, Complexe, 1979.

L'amour du yiddish : écriture juive et sentiment de la langue (1830-1930), Paris, Le Sorbier, 1984.

Le réalisme socialiste : une esthétique impossible, Paris, Payot, 1984. Prix du Gouverneur général 1987.

Kafka, Paris, Belfond, coll. « Les dossiers Belfond », 1989.

Le roman mémoriel, Montréal, Le Préambule, 1989.

Le deuil de l'origine : une langue en trop, la langue en moins, Paris, Presses universitaires de Vincennes, 1993.

Le naufrage du siècle suivi de *Le cheval blanc de Lénine ou l'Histoire autre*, Montréal/Paris, XYZ éditeur/Berg International, coll. « Histoire des idées », 1995.

Le Golem de l'écriture : de l'autofiction au Cybersoi, Montréal, XYZ éditeur, coll. « Théorie et littérature », 1997. Prix *Spirale* de l'essai 1999.

Fiction

La Québécoite, roman, Québec/Amérique, 1983 ; Montréal, XYZ Typo, 1993.

L'immense fatigue des pierres, Montréal, XYZ éditeur, coll. « Romanichels poche », 1999.

Traduction du yiddish

David Bergelson, *Autour de la gare*, Lausanne, L'Âge d'homme, 1982.

Moïshe Kulbak, *Les Zelminiens*, Paris, Seuil, 1988.

Régine Robin

La Québécoite

roman

Postface de Régine Robin

Les Éditions XYZ bénéficient du soutien financier des institutions suivantes pour leurs activités d'édition :
– Conseil des Arts du Canada ;
– Gouvernement du Canada par l'entremise du Programme d'aide au développement de l'industrie de l'édition (PADIÉ) ;
– Société de développement des entreprises culturelles du Québec (SODEC) ;
– Gouvernement du Québec par l'entremise du programme de crédit d'impôt pour l'édition de livres.

Édition : André Vanasse
Conception typographique et montage : Édiscript enr.
Maquette de la couverture : Zirval Design
Illustration de la couverture : Régine Robin, collage

ISBN 978-2-89261-080-2
Dépôt légal : 4e trimestre 1993
Bibliothèque et Archives nationales du Québec
Bibliothèque et Archives Canada

Diffusion/distribution au Canada :
Distribution HMH
1815, avenue De Lorimier
Montréal (Québec) H2K 3W6
www.distributionhmh.com

Diffusion/distribution en Europe :
Librairie du Québec/DNM
30, rue Gay-Lussac
75005 Paris, FRANCE
www.librairieduquebec.fr

Imprimé au Canada

www.editionsxyz.com

À mes étudiants des Universités
du Québec à Montréal, de Montréal,
de McGill, de Laval et de Sherbrooke.
1974-1981

I

Snowdon

C'est pourquoi j'ai rêvé d'une œuvre qui n'entrerait dans aucune catégorie, qui n'appartiendrait à aucun genre, mais qui les contiendrait tous; une œuvre que l'on aurait du mal à définir mais qui se définirait précisément par cette absence de définition; une œuvre qui ne répondrait à aucun Nom, qui les aurait endossés tous; une œuvre d'aucun bord, d'aucune rive; une œuvre de la terre dans le ciel et du ciel dans la terre; une œuvre qui serait le point de ralliement de tous les vocables disséminés dans l'espace dont on ne soupçonne pas la solitude et le désarroi, le lieu au-delà du lieu, d'une hantise de Dieu, désir inassouvi d'un insensé désir; un livre enfin qui ne se livrerait que par fragments dont chacun serait le commencement d'un livre.

JABES, *Le Livre d'Aely*

Ils vivaient entre trois impossibilités (que je nomme impossibilités linguistiques à tout hasard, parce que c'est plus simple — on pourrait aussi les appeler tout autrement), l'impossibilité de ne pas écrire, l'impossibilité d'écrire en allemand, l'impossibilité d'écrire autrement, à quoi l'on serait tenté d'ajouter une quatrième impossibilité, l'impossibilité d'écrire (car ce désespoir, ce n'est pas l'écriture qui aurait pu l'apaiser. L'écriture n'était en l'occurrence qu'un élément provisoire comme pour celui qui fait son testament juste avant d'aller se pendre — provisoire, peut-être pour toute la vie), c'était donc une littérature universellement impossible, une littérature de tziganes qui ont volé l'enfant allemand au berceau et se sont dépêchés de l'habiller d'une manière ou d'une autre parce qu'il faut bien que quelqu'un danse sur la corde raide (mais ce n'était pas l'enfant allemand), ce n'était rien, on disait seulement que quelqu'un dansait.

FRANZ KAFKA

Pas d'ordre. Ni chronologique, ni logique, ni logis. Rien qu'un désir d'écriture et cette prolifération d'existence. Fixer cette porosité du probable, cette micromémoire de l'étrangeté. Étaler tous les signes de la différence : bulles de souvenirs, pans de réminiscences mal situées arrivant en masse sans texture, un peu gris. Sans ordre, c'étaient des enchaînements lâches, des couleurs sans contours, des lumières sans clarté, des lignes sans objets. Fugaces. La nuit noire de l'exil. L'Histoire en morceaux. Fixer cette étrangeté avant qu'elle ne devienne familière, avant que le vent ne tourne brusquement, libérant des giclées d'images évidentes. Traversées, les nostalgies ne se laisseraient pas apprivoiser. On ne pourrait pas les décomposer. Elles s'imposeraient d'emblée. Aucune figuration à l'exil. Irreprésentable. Sans présent, sans passé. Simplement des lointains un peu flous, des bouts, des traces, des fragments. Des regards le long de ces travellings urbains. Étrangeté à fixer tout de suite car la nostalgie crevait à la surface des jours par surprise. C'était du langage, du langage jouissant tout seul, du corps sans sujet. Rien que du langage. C'étaient des bribes d'abord, des conversations entendues dans les cafés, le long des rues, dans les files d'attente, dans le métro. C'est une donation. Tu ne veux pas comprendre. Cela n'a rien à voir avec un contrat. Remarque. Je vais te dire une chose. Je vends l'immeuble de la rue Censier — aux acquêts — Je ne sais pas. L'apport est inégal ma yoyotte. Séparation de

biens ? Tu n'y penses pas. C'est vrai écoute c'est logique.
Avec l'héritage de mes parents j'achète un autre immeuble entre parenthèses tu sais c'est proportionnel à nos
apports mais non tu fais de ces salades. Tu es belle, tu es
belle ne te maquille plus jamais. Tu comprends, ça ne
pouvait plus durer. Je lui ai dit. Bribes chuchotées dans le
noir au cinéma. C'est un immeuble de l'avenue Foch. Si
je suis fichue à la porte qu'est-ce que tu fais ? Salope de
Nicole. Et si j'avais rien, si j'avais rien. Si tu trouves
mieux que moi, tu pars je n'ai que ma personne moi. C'est
ça l'inconvénient. T'es conne. Bribes à demi murmurées,
confusions. Confessions. Malentendus. Ce n'est pas ce
que j'ai voulu dire. J'entends par là. Tu l'as dit. Tu ne l'as
pas dit, dis-le, dis-moi, répète, ne dis pas ça. Un immeuble
de l'avenue Foch, disais-tu ? Il avait des dettes. Partons,
partons d'ici. Il ne fait pas très beau, pas chaud. Déjà l'été
mais on n'aura pas d'été cette année. Ça m'énerve, je suis
déjà tout électrisée. Que le ciel me tombe sur le crâne —
klaxon, frein, bruit de frein dans la pluie, giclées, écla-
boussures. Ils ne sont pas pressés de nous servir. Elle fera
une omelette. On verra bien. Un Ricard, un Casanis s'il
vous plaît. Bruit des machines à sous, des cassettes jouées
en sourdine ou vomies en grand tumulte. Il n'y a quand
même pas cinquante millions d'abrutis. Je rappellerai plus
tard. Il a eu une histoire hier. Ça l'embêtait de travailler
— j'en sais rien — ben non — ça veut dire quoi ça ? On
n'en sait rien. Qu'est-ce que tu veux manger ? Stries
vertes et rouges des feux à l'angle, reflet verdâtre de la
croix des pharmacies, éblouissement, fulgurance des
phares. Les voix s'éloignent, se rapprochent. Leur
modulation est imprévisible. Tous les ans, il dit qu'il va
partir à la retraite. S'il n'emmerdait pas le monde avec ça.
Le Pernod c'est sucré — ça n'a pas le même goût. Quel
cinglé ! Des bracelets bon marché à Félix Potin. Un déca

s'il vous plaît — bruit des autobus, de la caisse enregistreuse — Des voix rauques, des voix chaudes, entre-
croisement des voix — je les touche — je les palpe — je
m'y love — I love you — bouts de quotidiens mornes,
bribes d'émission de radio, indicatifs des chaînes de
télévision — Zitrone. Giquel. El Kabbash. Hit-parade
publicités — actualités — journal télévisé. Bribes
d'itinéraires le long des lignes de métro — ligne 10.
Austerlitz sans soleil, sans victoire — on partait pour les
Landes. Il régnait toujours dans la gare une odeur d'urine
et de vomi. Tristesse — saleté — gare traversée — les
attentes interminables au retour pour avoir un taxi — les
arrivées au petit matin — le premier café crème après les
vacances. Tu avais donné rendez-vous à ton mari à
Rouyn-Noranda, sur une petite place au bistrot du coin —
mais il n'y avait ni place ni bistrot du coin à Noranda-
Rouyn — La rencontre avec une ville. Tu te perdais
souvent, revenant mille fois au même endroit, recon-
naissant les enseignes, les boutiques, la qualité de l'air
flottant autour des carrefours. Au bout d'un mois, les
itinéraires familiers avaient remplacé les déambulations
hésitantes, maladroites des premiers temps. C'est au petit
matin que les villes prennent couleur. Il y a aussi les villes
sans couleur teintées d'eau, de neige. Les villes brumes et
sirènes, les villes cheminées d'usine, les villes parc, les
villes fleurs. Tu avais aimé toutes les villes, la respiration
hallucinée des villes américaines vues d'avion le soir
comme un tableau de bord, un écran électronique de
lignes de lumières entrecroisées, des réseaux lumineux
dans la nuit.

> Centre-ville,
> ring ancien,
> nouveau ring,

boulevards extérieurs,
boulevards de ceinture,
périphériques,
bretelles,
highways,
freeways,
turnpikes,
parkways,
thruways,
Stadtmitte,
Centrum,
midtown,
downtown,

— ce désir d'écriture. C'était pourtant si simple de commencer par le commencement, de suivre une intrigue, de la dénouer, de parler d'un hors-lieu, d'un non-lieu, d'une absence de lieu. Essayer de fixer, de retenir, d'arracher quelques signes au vide. Rien qu'une marque, une toute petite marque. Il fallait fixer tous les signes de la différence; la différence des odeurs, de la couleur du ciel, la différence de paysage. Il fallait faire un inventaire, un catalogue, une nomenclature. Tout consigner pour donner plus de corps à cette existence. Tes menus faits et gestes, tes rencontres, tes rendez-vous — tes itinéraires — les consonances bizarres des grands magasins:

SIMPSON
EATON
LA BAIE
OGILVY
HOLT RENFREW
MARKS & SPENCER
WOOLWORTH
KRESGE

DOMINION
STEINBERG

Tout cela finirait bien par avoir l'épaisseur d'une vie, d'un quotidien. Serait-il possible de trouver une position dans le langage, un point d'appui, un repère fixe, un point stable, quelque chose qui ancre la parole alors qu'il n'y a qu'un tremblé du texte, une voix muette, des mots tordus ? Prendre la parole. Quelle parole ? Se taire ? À nouveau l'humiliation ? Porter à nouveau l'étoile ? Texte brisé. Extirper la peur, la honte, la solitude — parler pour, pour rien peut-être — parler parce que — le bruit — rien que des bruits, débris.

Je ne sais pas parler s'exclame Moïse
peut-être se taire —
mais une voix, une petite voix à faire tinter
traverser les nappes violentes du silence —
juste la parole — les mots à la lettre
c'est l'inachevé qui est important —
                la mort
                n'est qu'une ombre
Il n'y aura pas de commencement
                pas de récit
Sans ordre — ni chronologique
                ni logique
                ni logis —
l'oméga ne viendra jamais. Car rien ne commence à l'alpha — la 1re lettre de la Bible est le Bet la seconde lettre, la lettre ultime est le Tav, l'indice du futur
                ouvert —
se taire peut-être —
                peut-être —
        Écrire — avec les six millions de lettres de l'alphabet juif

Tu avais aimé ce pays, tu en avais humé les vapeurs bleues, les odeurs automnales de pain cuit et de feuilles mortes, les coulées d'air frais sur la montagne laiteuse — JUSSIEU. Les polonias sur la place, le kiosque à journaux et les cafés étudiants en face de la Fac. CARDINAL LE MOINE — monter la rue pour parvenir à la Mouffe King Henry à l'angle de la rue des boulangers où l'on achetait le Glenvidish et la bière de Pilsen, continuer la rue Monge jusqu'à la place — bistrots, marché deux fois la semaine — ombre des marronniers — Le soir place Monge — MAUBERT — MUTUALITÉ — combien de meetings ? De mutualités vides ou remplies ? Tous à la Mutu — Nous n'irons pas à la Mutu — Un certain 27 octobre 1960 nous ne sommes pas allés à la Mutu — qui s'en souvient ? Combien de guerres d'Algérie, de grèves, de frustrations, d'exaltations, de colères, de commémorations à la Mutu ? MABILLON, le restaurant universitaire avant l'ouverture du Mazet — On allait au Mab c'était meilleur qu'à l'Inter — SÈVRES-BABYLONE, le bon marché et le Lutétia. En ce temps-là, il n'y avait pas de MSH. Déjà les beaux quartiers. VANNEAU — Chez Germaine, rue P. Leroux. La gargote où tout le monde se connaissait, où la patronne se promenait avec le torchon. Pour s'essuyer, on criait « Germaine le torchon » ! Germaine, son poulet basquaise et son clafoutis aux cerises — le café Vanneau tout près du métro, sur les murs duquel on peut lire

> le Vanneau se trouve au Kamchatka comme en
> Europe. Ses habitudes naturelles et ses migrations
> sont les mêmes. Il a les ailes très fortes et il s'en
> sert beaucoup. Il vole longtemps de suite et s'élève
> très haut. Posé à terre, il s'élance, bondit et par-
> court le terrain par petits vols coupés. Cet oiseau
> est fort gai et il est sans cesse en mouvement

folâtre et se joue de mille façons en l'air. Il s'y tient par instants dans toutes les situations même le ventre en haut. Ou sur le côté et les ailes dirigées perpendiculairement et aucun oiseau ne caracole et ne voltige plus lestement.

Signé BUFFON

Conversations à peine interceptées. Je te rappelle je te donne un coup de fil. Ne quittez pas. Donne-moi un coup de fil. Appelle-moi. Je t'aime. Je ne t'aime pas. Dis-moi que tu m'aimes, bien sûr que je t'aime. Je t'aime à la crème, je ne t'aime pas au chocolat — remords des mots déjà dits, cristallisés, engrangés, répertoriés. DUROC le François Coppée et le boulevard du Montparnasse. Imaginaire d'une ville lointaine — faux retours. Elle s'appelle désespoir — comme d'habitude quoi — je ne sais pas pourquoi j'ai cet air dans la tête. La la la la, ne m'en veux pas ma petite Lulu si j'ai toute cette flicaille au cul. L'imaginaire s'accroche aux flaques d'eau, aux caniveaux, aux trottoirs. C'était une carte du gris tendre, une carte des bistrots. Baise trop. Ils déboulaient par strates mémorielles violettes. Il y avait les bougnats

> le bougnat des Folies
> le bougnat de Lagny
>   les Chopes
> la chope de Choisy
> la chope de Montreuil
> la chope lorraine
> la chope des martyrs
> la chope des sports
> la chope normande
> la chope tout court   et
> Place de la
> CONTRESCARPE

Il y avait les CANONS
   le CANON de TOLBIAC
      et
   les BOUQUETS
   LE BOUQUET DE VERSAILLES
   LE BOUQUET DE L'OPÉRA
   LE BOUQUET du NORD
   LE BOUQUET de BELLEVILLE
   LE BOUQUET d'ALÉSIA

Il y avait LES CARREFOURS
         LES TERMINUS
         LES BARS   DE LA POSTE
                       DE LA PAIX
                       DES SPORTS
         LES CLAIRONS
LES MARRONNIERS   LES TROUBADOURS
         LES SAUVIGNONS
sans compter   LES DUPONT
INTERDITS AUX JUIFS et aux CHIENS
         PENDANT LA GUERRE.

Comme le ratage de l'exil même. C'est tout l'un ou tout l'autre — combien dis-tu ? Ils vont te payer ? Avant la fin de l'année ? Un express bien tassé — bon — je me taille. Je me calte. Je lève l'ancre. Je fiche le camp. Je me tire. Je mets les bouts. Je mets les voiles. La voile. « Après une navigation de trois mois, ils arrivaient. C'était un trajet dangereux. Tout roulait même par beau temps. Les voiliers ronds de quille n'étaient pas stables. Vous paierez 6 000 livres dit l'ordre royal du 12 mars 1534 au pilote Jacques Cartier qui va aux Terres Neuves découvrir certaines îles et pays où l'on dit qu'il se doit trouver grande quantité d'or. »

Salut, respiration asthmatique de la ville. Tu te sens bien. Les quartiers roses, les quartiers lilas, les quartiers bleus, les quartiers gris, flâneries — déambulations — À l'écoute des bruits, des odeurs — les villes cannelles — les villes curry — les villes oignons

Arrêts aux devantures
traversées de passages couverts
retour vers les grandes places
plongées dans les halls de gares.

Sentir le vent, la pluie fine, les reflets troubles dans les flaques. Quelle détresse certains soirs aux trottoirs éternellement mouillés. Fixer la différence de toutes ces banques répandues dans la ville comme des mouches

Banque canadienne nationale
Banque de commerce canadienne impériale
Banque de Montréal
Banque de Nouvelle-Écosse
Banque d'Épargne
Banque du Canada
Banque fédérale du développement
Banque mercantile du Canada
Banque provinciale du Canada
La Toronto Dominion Bank

banque — banque — le pays des banques — the big bank country — the big bank power

in God we bank.

Elle habiterait Snowdon — à l'ouest de la montagne et du cimetière Notre-Dame-des-Neiges, une de ces maisons ombragées qui donnent sur Victoria, parallèles ou perpendiculaires à Queen Mary. Quartier d'immigrants à l'anglais malhabile où subsiste encore l'accent d'Europe centrale, où l'on entend parler yiddish, et où il est si facile de trouver des cornichons, du Râlé natté et du matze mail.

Ils habiteraient une maison toute de guingois, d'une vieille tante venue ici juste avant la guerre par hasard sans doute un peu à la manière des grands-parents de Mordecai Richler.

« À l'instar de bien d'autres, mon grand-père s'aventura au Canada comme passager de troisième, d'un Shtetl de Galicie en 1904 tout de suite après le déchaîne-ment de la guerre russo-japonaise et du pogrom particu-lièrement ignoble de Kishinev... Je fus bien étonné d'apprendre longtemps après que mon grand-père avait au départ un billet de chemin de fer pour Chicago. Sur le paquebot, il avait fait la connaissance d'un coreligion-naire adepte de la même secte qui avait des parents à Chicago mais un billet pour Montréal. De son côté mon grand-père connaissait le cousin de quelqu'un habitant Toronto, ville située au Canada se trouva-t-il d'ap-prendre. Un matin sur le pont, les deux hommes échan-gèrent leurs billets... » Mais non. Ce n'est pas ainsi que Mime Yente serait venue. Elle aurait quitté sa Volhynie natale en mars 1919, au moment où les soldats de Petlyura, après avoir vaincu l'Armée rouge, ont pris Jitomir. Son père aurait été mis à mort par les Blancs. Son père — le boulanger de la place du marché retrouvé étranglé les yeux grands ouverts au milieu de ses pains ronds — à Londres Mime Yente aurait épousé Moshe. Ils se seraient installés dans l'Eastend, à White Chapel, trouvant du travail dans un atelier de confection, un de ces ateliers malsains sans lumière et sans air. Plus d'une fois dans les années terribles on les aurait vus à la soupe populaire de Brune street — pauvres comme Job — Moshe se serait démené comme un beau diable dans le syndicalisme juif, dans les milieux radicaux alors en pleine effervescence. Ils auraient connu la grève générale de 1926 qui avait duré neuf jours. Elle s'en souviendrait encore, la tante. Parlant aux troupes qui occupaient le quartier. Puis, grâce à leurs économies, à leur travail de forçat, à leur incroyable ténacité, ils auraient acheté une boulangerie, une *bakerai* sur Fashion street le cœur du vieux ghetto. Une devanture misérable mais qu'importe ! Ils auraient fini par acquérir une vraie célébrité et seraient devenus les fournisseurs de Bloom's, le célèbre restaurant où se retrouvaient les Juifs d'Europe centrale. Yente saurait encore raconter toutes sortes d'histoires sur Jacques l'éventreur — Martha Turner — Marc, Aun Nichols, Annie Chapman, Elizabeth Stride, Catherine Eddowes Marie-Jeannette Kelly — les célèbres victimes de Jack-the-Ripper. La tante aurait fait le voyage de Paris lors du procès Schwartzbard — ce dernier venait d'assassiner Petlyura — c'était un poète qui avait pris part aux événements de 1905 et organisé l'autodéfense des Juifs lors des terribles pogroms — traqué, il s'évada, vécu clandestinement à Paris comme horloger. De retour en Russie, il avait rejoint l'Armée rouge en 1917. C'est alors qu'une grande partie de sa famille fut massacrée par les troupes de Petlyura en 1920. Depuis il n'eut qu'un seul but: retrouver Petlyura et le tuer — ce qu'il fit en mai 1926. La tante aurait témoigné au procès.

    «Cet homme est un libérateur. Il nous a vengés. C'est lui qui nous a rendu notre dignité», qu'elle aurait dit, au tribunal, elle, si timide, un petit bout de femme. Lorsque revenue à Londres, elle aurait appris l'acquittement de Schwartzbard, elle aurait distribué des pains ronds et du Râlé à tout White Chapel et à tout Stepney — Et puis, la tante aurait connu la bataille de Cable Street du 4 octobre 1936 qui mit aux prises les syndicalistes, les communistes, les ouvriers et les fascistes de Mosley. Ce dernier avait annoncé son intention d'organiser une marche à travers l'East End. Ce qui fut immédiatement

compris par le peuple des ateliers comme une provo-
cation — trois mille chemises noires se déployèrent sur
Cable Street — au carrefour de Cable et de Leman street
ils se heurtèrent aux barricades dressées par la foule. Plus
de cent mille ouvriers s'étaient rassemblés pour leur bar-
rer la route. Ils ne passeront pas. No passaran. La police
se mit à charger lorsqu'une charrette se dressa soudaine-
ment, sortie de quelque arrière-cour — un flot de tuiles,
de briques, de pierres se déversa sur les flics — Tous les
dockers de Wapping et de St. George étaient là — puis le
commissaire de police, après maintes arrestations d'ouvriers — il faut ce qu'il faut — ordonna à Mosley et à ses
troupes de faire marche arrière le long de l'embankment
où ils se dispersèrent — On dansa toute la nuit dans
l'East End. Parmi les danseurs : Mime Yente et ses
brioches. Puis ils auraient quitté Londres juste avant la
guerre, un peu fatigués. Ils auraient comme tant d'autres
passé l'océan et abouti ici à Snowdon. Moshe et Yente
auraient alors acheté cette bicoque à demi en ruines et la
minuscule boulangerie de Décarie juste au nord d'Isabella — la quasi-totalité de la clientèle aurait parlé
yiddish. Quel plaisir de fabriquer du Râlé brioché, du
pain de froment, des boules de pain de seigle, le pain noir
au cumin, au sésame, aux graines de tournesol, les bagels,
les petits gâteaux au fromage, le stroudle et les
omentache — on serait venu de loin…

  Moshe serait mort depuis longtemps — la tante
aurait vendu la boulangerie à des Juifs hongrois de
Budapest. Elle se serait retirée dans sa maison — c'est là
qu'elle l'aurait accueillie — je ne sais plus quand — Cette
maison un peu bancale achevant de se détériorer serait
son lieu, son vrai pays. Un grand érable du côté de la rue
dissimulerait presque totalement la brique sombre quelque
peu fendillée. Ils ne disposeraient que du bas, la vieille

Yente régnant impérieusement à l'étage. Le tout formerait un duplex à entrées séparées. Il leur aurait été très facile d'aménager les quatre pièces et le sous-sol. Les quelques commodes et les vieilles armoires de pin auraient été installées dans le salon donnant directement sur la rue. La table de chêne achetée dans une brocante de la rue Saint-Denis ou de la rue Duluth occuperait un coin de la salle à manger — un vieux divan ocre roux feuille morte s'étalerait sous la fenêtre du salon où des rideaux de dentelle ancienne provenant de chez Quentin joueraient avec l'ombre feuillue de l'érable à la belle saison. Des pots de plantes vertes seraient suspendus au plafond par des cordelettes de sisal devant les fenêtres. Les deux autres pièces seraient formées d'une chambre à coucher un peu monacale et d'un bureau bordélique encombré de livres, d'étagères constituées de simples planches et de briques, de grossières tables à tréteaux sur lesquelles traîneraient de vieilles bobines de magnétophones, des chemises de toutes couleurs, des livres, des crayons, des cendriers, des chéquiers hors d'usage et des quittances de Bell téléphone et de Visa. Le sous-sol auquel on accéderait par un escalier plutôt raide comprendrait une vaste cuisine, la salle de bains, la fournaise et une buanderie à laquelle Yente aurait aussi accès — la cuisine serait éclairée par de petites fenêtres laissant pénétrer la lumière du jour, du moins en été car en hiver l'épaisseur de la neige par moment bloquerait tout. Ils n'auraient pas eu assez d'argent pour aménager véritablement la cuisine pourtant spacieuse. Elle aurait rêvé de tomette sur le sol, de meubles en pin, de quelque chose de campagnard avec des misères descendant des armoires. Ils auraient dû se contenter d'une table de formica — un cadeau d'installation de la tante, croyant bien faire — de chaises ramassées dans un garage sale, d'une cuisinière et d'un frigidaire

achetés à crédit à la Baie — mais, elle aurait tenu aux
vieux rideaux ici aussi, et à un lustre sophistiqué genre art
nouveau. Le tout serait agréable sans plus. La chambre à
coucher au rez-de-chaussée ouvrirait directement sur un
jardin plutôt grand pour le quartier où Mime Yente
autrefois aurait fait planter des rosiers. Ils aimeraient l'été
sortir la table de la cuisine quelques chaises longues et à
la brunante rêvasser dans ce qui de plus en plus prendrait
figure d'oasis. Le gardien du foyer serait Bilou, un chat
roux, plus tout à fait dans la fleur de l'âge, paresseux et
mélomane. Il s'installerait la plupart du temps dans
l'embrasure de la fenêtre centrale entre la dentelle et la
vitre et regarderait le paysage, c'est-à-dire l'érable et les
maisons d'en face. Il attendrait imperturbablement leur
retour, se demandant où ils iraient encore traîner, à
l'Université, dans des bibliothèques, au cinéma, chez des
amis, dans les grands magasins. Il bayerait alors aux
corneilles, heureux de ne rien faire. Une vraie vie de chat.

Il y aurait à l'entrée le piano ramené de Paris.

MÉTRO SÉGUR

Chez le professeur du conservatoire dans le salon
ovale où le piano à queue occupait toute la place et juste
avant de prendre le métro ta mère te répétant comme en
un rituel familier de te couper les ongles, de te laver les
mains sinon on dirait dans les beaux quartiers que les
Juifs sont sales et tu te coupais les ongles sagement si
bien que Ségur pour toi ce n'est pas la comtesse de la
bibliothèque rose née Rostopchine mais une marque de
ciseaux. Les Nogent-Ségur comme il y a des Rohan-
Chabot, des Rohan-Soubise, des Rohan-Guemenée collier
de la reine et chapeaux ronds. Le passé serait-il contraint
de se déguiser, de s'aiguiser ? Déchiré, rompu, en morceaux — agenda sans date, historiographe, mémorialiste,

procès-verbaux procès vert d'eau — les uniformes — la guerre…

Elle serait à son piano. Elle y resterait des heures, Bilou s'installerait sur le haut au milieu des livres de musique juste à droite du métronome. C'est manifestement Chopin qui lui conviendrait le mieux, ronronnant en mesure à chaque nocturne, à chaque mazurka. En revanche les gammes de Czerny le feraient fuir immédiatement. Il aurait une façon bien à lui de plisser les yeux, de tendre le cou pour réclamer Chopin — Il reviendrait alors s'installer en haut du piano sur les partitions, se mettrait en boule et ronronnerait en mesure. Mime Yente aurait conclu que Bilou devait avoir des attaches polonaises, le tout aurait été de savoir si ses attaches étaient polak ou juives — Chat-pogrom ou chat-cacher? Elle s'efforcerait aussi d'écrire une œuvre de préférence géniale, un best-seller qui les ferait sortir de leur médiocrité. Elle accumulerait des notes, des pages, des dossiers; et que Loewy qui avait tant marqué Kafka était né à Varsovie en 1887 de pauvres parents de tradition hassidique, que tout petit il avait été enrôlé dans une troupe de Pourim Spieler, ces baladins traditionnels mi-clowns, mi-chansonniers, racontant aux enfants du Shtetl la merveilleuse histoire d'Esther; qu'il quitta Varsovie pour Paris où il devint ouvrier; qu'il entra enfin dans une troupe itinérante qu'il se produisit à Prague en 1911 où il rencontra Kafka, qu'il fut exterminé en 1942 et que — et que — Elle aurait une passion pour le théâtre juif, rêvant de monter des pièces de Goldfaden et de revenir à la tradition de Michoels — ou d'adapter à l'américaine le vieux folklore, de le rénover, de le re-produire sans le répéter; une espèce de comédie musicale mi-comique, mi-tragique avec quelque chose qui ressemblerait au chœur des tragédies grecques, qui serait la voix du peuple assassiné, lequel interviendrait à certains moments dans la pièce pour dire son mot, pour juger de ce qu'on dit de lui, pour modifier éventuellement tel ou tel dire, dans la parodie, le lyrisme ou l'épopée. Elle aurait voulu monter le Sabbataï Zevi de Shulem Ash tant elle aurait été fascinée par le personnage.

Ils aimeraient le quartier. Tout près sur Queen Mary, tous les commerces, l'animation, les lumières. Le Steinberg, le Carmel, magasin de fruits et légumes, le book-center de Westbury et plus loin sur Décarie le Snowdon Delicatessen où l'on viendrait pour le brunch du dimanche matin vers onze heures et demie, midi. On prendrait des bagels — Mime Yente, en les tâtant saurait immédiatement reconnaître les meilleurs — avec du philadelphia cream cheese, des lox ou du whitefish, du café au lait. On resterait là un bon moment. Mime Yente les quitterait au bout d'une heure. On reviendrait plus tard à la maison en achetant le gros *New York Times* du dimanche ainsi que le *New York Review of Books*. Parfois, à la place du Delicatessen, on irait chez Murray de l'autre côté de Décarie pour voir entrer les vieilles dames en chapeaux à l'allure très britannique. On passerait le dimanche au lit à lire de fond en comble le gros journal, à faire l'amour, à écouter le *Requiem* de Mozart ou le *Messie* de Haendel, Bilou jouant les voyeurs au bord du lit. On apprendrait dans le *New York Times Book Review* que Philip Roth est devenu millionnaire grâce à son *Portnoy*, qu'il a fui New York habitant désormais une espèce de manoir dans le Connecticut — raison de plus pour avancer le futur best-seller — Il y aurait aussi à l'angle de Décarie et de Queen Mary le restaurant *Pumpernik Cornichons* — harengs — Creplar — Knödle — carpe farcie et surtout son cheese-cake —

On serait bien
                    chez nous ?
loin des discours domptés
                    la trace
                    la coupure
ce qu'on ne trouverait pas au bout de l'attente
                    Hors-lieu
                    découd — page
Ici   partout   Ailleurs
Aucun récit   n'aura lieu   Elle va
Elle ne sait pas où.   sans repères
                    sans repaire

Elle ne dit rien
Elle dit le rien

                    en suspens
séparée d'elle-même.
Les articulations sont foutues
Il n'y aura pas de récit.
Il n'y aura pas de messie.
Ce qu'on ne trouverait pas au bout de l'Attente.
La nuit — le gel — le silence
      le livre inachevé — les mots défaits.
      les mots   nomades   mad
                    made in   Pitchipoï

Elle donnerait quelques cours aux Jewish Studies
de McGill — un salaire de misère — un travail irrégulier,
précaire avec son anglais maladroit n'ayant pourtant rien
trouvé dans le secteur francophone — des cours sur la
littérature juive soviétique d'entre les deux guerres. Elle
resterait longtemps à expliquer cette page d'Isaac Babel :

Un cimetière dans une petite bourgade juive.
L'Assyrie et la mystérieuse putrescence de l'Orient
sur la campagne volhynienne envahie des herbes

folles. Stèles grises, rongées, aux inscriptions trisé-
culaires. Sillons grossiers des hauts-reliefs taillés
dans le granit. Les images du poisson et de la brebis
au-dessus d'une tête de mort. Les images des rabbins en toques de fourrure. Leurs hanches étroites
sont ceintes de cuir — sous leur visage sans yeux
court la ligne de pierre des barbes frisées. À l'écart,
sous un chêne fracassé par la foudre le caveau de
Reb Azriel qui fut tué par les cosaques de Bogdan
Chmielnicki. Quatre générations reposent dans ce
tombeau miséreux comme le logis d'un porteur
d'eau et les tables, les tables verdies chantent leurs
noms (avec l'emphase fleurie) du bédouin qui prie
Azriel fils d'Ananie bouche de Jehovah
Élie fils d'Azriel cerveau qui lutte solitaire contre
l'oubli.
Wolf fils d'Élie, prince ravi auprès de la thora dans
          son dix-neuvième printemps
Judas fils de Wolf, rabbin de Cracovie et de Prague
ô mort, ô cupide, ô insatiable voleuse. Pourquoi ne
pas nous avoir épargnés, ne serait-ce qu'une fois ?

Dans un livre, un jour elle aurait vu qu'à Wegrow
petite bourgade à l'est de Varsovie le vieux cimetière a
été transformé en terrain de football…

Un cimetière dans une petite bourgade juive. Cela
aussi appartiendrait désormais à la légende, à une saga
muette qu'elle porterait au-dedans d'elle-même, impossible à communiquer — Son mari qui aurait fait ses études
à McGill et à Columbia enseignerait l'économie politique
à Concordia. Elle l'aurait rencontré à New York, à
Washington Square, jean et guitare, au milieu des
écureuils étonnés et des gratte-ciel au loin, à demi mangés
par la brume. Ils auraient marché dans le village une
bonne partie de la nuit. Elle l'aurait cru New-Yorkais, un
peu hippy, un peu freaky, sans fric. Son histoire à lui, des

plus singulières. Ses parents seraient arrivés à New York à
la fin de la guerre, lui tout petit garçon. Sa mère était juive
polonaise, elle aurait été refoulée à son arrivée car la
guerre froide s'annonçait. Sans un sou, ne pouvant même
pas prendre un paquebot de retour, ils auraient échoué —
c'est bien le mot — à Montréal en attendant — Puis serait
venu le moment de l'école — c'est alors que son père,
vieux militant de l'école laïque se serait aperçu de la
catastrophe — allant inscrire son fils il n'aurait vu que des
bonnes sœurs et des crucifix partout. Feuilletant négli-
gemment un livre de lecture pour tout-petits, il aurait lu

> « *Conjugaison*
> Conjuguez oralement au présent du mode indicatif:
> — Sympathiser avec ce père éprouvé
>   Compatir à sa grande douleur
>   Prier sur cette tombe amie
>   Avoir la mort dans l'âme
>   Faiblir très rapidement
>   Louer les vertus de ce défunt.
> Conjuguez oralement à l'indicatif présent, voix
> négative:
> — Languir sur un lit de douleur
>   Être au seuil de l'éternité
>   Oublier les parents disparus
>   Déposer une gerbe de fleurs
>   Subir une lourde épreuve.
> Mettez au singulier, à la voix négative:
>   Les souffrances purifient l'âme
>   Ces deuils sont très récents
>   Nous oublions les disparus
>   Ces maux guérissent
>   Ces moribonds communient
>   Ces chants attendrissent. »

Il aurait ouvert un livre de calcul, et serait tombé sur la page suivante :

« PÈLERINAGE À L'ORATOIRE

Posez l'opération qui vous donne la réponse.

1. J'ai payé 15 centimes pour 3 médailles de saint Joseph. Quel est le prix d'une médaille ?
2. Deux images lumineuses me coûtent 14 c. Quel est le prix d'une image ?
3. Trois chapelets me coûtent 69 centimes. Quel est le prix d'un chapelet ?
4. J'ai aussi acheté 3 étuis pour les chapelets. J'ai payé 36 c. Quel est le prix d'un étui ?
5. Deux statues me coûtent 68 c. Quel est le prix d'une statue ? »

Sans compter le catéchisme et l'Histoire sainte :

— Les Juifs reconnurent-ils J.-C. pour Messie ?
  Réponse : Non. Ils attendaient un Messie qui régnerait sur la terre, qui serait plus grand guerrier que David et plus *riche* que Salomon. Ils refusèrent de le reconnaître dans l'humble fils d'un charpentier.

Il aurait vu rouge, aurait claqué la porte — se serait avisé peu après que les Anglais accepteraient de prendre le petit en le dispensant des bondieuseries protestantes. Les seules choses auxquelles il ne pourrait se soustraire seraient la montée de l'Union Jack tous les matins, et le *God save the King*. Ça aurait été le prix à payer ! C'est comme cela qu'il aurait fait toutes ses études en anglais lui, d'une mère polonaise et d'un père français rad soc. « Un petit peuple serré de près aux soutanes, restées les seules dépositaires de la foi, du savoir, de la vérité et de la richesse nationale.

Tenu à l'écart de l'évolution universelle de la pensée pleine de risques et de dangers, éduqué sans mauvaise volonté, mais sans contrôle, dans le faux jugement des grands faits de l'Histoire quand l'ignorance complète est impraticable. »

Il aurait refusé la grande noirceur — et l'ignorance et les soutanes.

À New York, il aurait été assis sur un banc à Washington Square. Elle serait venue s'asseoir à côté de lui comme ça machinalement. Il aurait tenu un livre de Ginsberg dans les mains. Ils auraient commencé à se dire des banalités, puis il aurait vite quitté le terrain du tout et du rien.

— J'aime beaucoup New York. J'y viens souvent. J'ai fait mon Ph.D. à Columbia — lui aurait-il dit allumant machinalement cigarette sur cigarette. J'ai une passion pour cette ville océan où chacun se sent chez soi et nulle part à la fois — c'est comme un gigantesque no man's land, un campement pour exilés, pour personnes déplacées. Ici nous sommes tous les métèques, des pâtres grecs — j'aime ça.

Elle aurait souri bêtement sans rien répondre. Il lui aurait raconté sa vie, son itinéraire tourmenté. Il s'exprimerait dans un français impeccable avec une pointe d'accent américain cependant. Ils auraient quitté Washington Square, s'enfonçant dans le village. La confiance les aurait gagnés, une chaleur communicative :

— Vous vous sentez quoi au juste, américain, canadien, québécois, juif, français ? Ça a l'air compliqué cette histoire ?

— En effet. Il aurait répondu pince-sans-rire, à la manière de Woody Allen — non ce n'est pas compliqué.

Je me sens

new-yorkais de Paris ou
montréalais du Shtetl si vous voulez.

Ils auraient ri, se seraient avisés qu'il était l'heure de manger, auraient trouvé un restaurant oriental sur Bleeker street et auraient décidé entre le féta et les baklavas de ne plus se quitter. Ils aimeraient toutes sortes d'américaineries, Walter Cronkite, Johnny Carson, le coca-cola, Archie Bunker et Mary Tyler Moore, sans oublier *Saturday Night Life*, car ils auraient le câble qui leur permettrait de voir outre les quatre chaînes canadiennes et Radio-Québec, à peu près tous les postes américains. Ils évoqueraient d'ailleurs un Paris d'Américains, ce qui permettrait de maîtriser quelque peu le mal du pays quand la nostalgie la prendrait aux tripes — L'American Express rue Scribe, où en est le dollar? Dans la merde — et le dollar canadien? Encore pire. Shakespeare et company à côté de la bûcherie près de Saint-Julien le pauvre — le vendeur du *Herald Tribune* sur le Boul'Mich, en haut, à l'angle de la rue Monsieur le Prince, le big mac chez McDonald — un joint acheté à prix d'or dans la foule de Saint-Séverin — On ferait des projets pour l'été. Paris aurait encore changé, une banque à la place du bistrot évoqué avec des trémolos dans la voix, la carte orange encore plus coûteuse, les commerçants encore plus hargneux, le stationnement encore plus difficile, le métro aérien devenu silencieux et les lignes prolongées jusqu'à Saint-Denis et Aubervilliers, le RER raccordé à Châtelet. On serait bien. Par moments, quelque chose clocherait. Cela viendrait par surprise, se faufilant dans les interstices d'un bonheur aux mailles serrées. On ne pourrait jamais prévoir ces moments lourds.

L'Isolement   La coupure?
Un vide de quelque chose?
                    Quelque chose d'autre?

ON NE DEVIENDRAIT   JAMAIS VRAIMENT
          QUÉBÉCOIS.
De l'autre côté de la barrière linguistique ?
          Allons bon. Elle serait venue de Paris
                    pire encore
          maudite Française.
          Un imaginaire yiddishophone ? Quel drôle de
          mot !

     Elle aurait commencé un roman impossible sur Sabbatai Zevi le faux messie du XVIIe siècle, une sorte de réflexion métaphorique sur l'Histoire. Le thème en aurait été un cours réclamé au dernier moment à un vieil écrivain asthmatique s'intéressant depuis longtemps au personnage.

     Ish Hayabi. Il était une fois. S'ils croient que c'est si simple, raconter une histoire, raconter l'Histoire. Revenu à la mode qu'ils disent. Un cours sur Sabbatai Zevi ! Rien que ça ! Jamais aimé ce maroufle — Des milliers de bouquins, d'articles. S'ils croient que je vais m'esquinter, ça alors ! J'ai dit oui comme ça. Maintenant je suis pris avec ce cours pour tout le second semestre. Quarante-cinq heures à parler de Sabbatai Zevi. Trois heures à faire les présentations, à parler de l'Histoire juive en général, à parler d'évaluation, de mémoire à rendre, d'examens. La crève — avec mon état de santé, entre deux crises d'asthme un peu de Sabbatai Zevi. Je vais bien manquer une fois, une crise par tempête de neige. Rester devant le bureau de pin juste sous la fenêtre d'angle. Un bon café, très chaud. Le dimanche matin, un bon café avec des grosses tartines de cream cheese et de saumon fumé ou de poisson blanc. Dehors la neige, l'horizon bouché au-delà des dernières branches de l'érable, le ciel laiteux. La neige. Les lumières des

maisons d'en face. Un bon café chaud. Le bureau sous la
fenêtre d'angle, une vingtaine de bouquins autour. Le
vieux stylo Bedford trouvé à New York dans une
brocante avec un nom incrusté «R. Cameron». Le vieux
Cameron doit sans doute être mort depuis longtemps. Il
devait être courtier ou agent de change, un affreux petit-
bourgeois bien conformiste d'origine italienne peut-être.
La tête qu'il ferait s'il savait que c'est un vieux juif
asthmatique qui a hérité de sa guenille — au bureau —
La neige. Toute une journée dans ma robe de chambre
avec Sabbatai Zevi. Restera encore trente-neuf heures de
cours à donner. Une grève étudiante ou une trop forte
tempête de neige — trois heures de moins. Reste douze
séances de trois heures sur Sabbatai Zevi. S'ils croient
que je vais me laisser avoir. Les étudiants de première
année encore. Savent rien de l'Histoire juive, parlent
yiddish à la maison souvent, c'est tout. Croient que ça les
dispense d'apprendre. Me prennent pour un vieux con.
Bande de petits merdeux. Je vais leur en faire voir.
D'abord de l'Histoire, toujours de l'Histoire — leur
enfoncer le cul dans l'Histoire. Savent tout juste que
Lénine vient après Saint-Louis. À nous deux l'Ukraine et
la Podolie. Du haut de mon bureau quelques siècles de
pogroms nous contemplent. L'Europe centrale au XVIIe
siècle: trois heures. Les massacres de Chmielnicki: trois
heures peut-être même six car il y a eu beaucoup de
massacres. Le monde juif après le massacre et ses problèmes spirituels: barbant ce cours, trois heures peut-être
un rappel religieux. Ces petits cons ne savent même pas
ce que c'est que la thora même s'ils mangent casher et
cotisent pour Israël. Fils à papa, de Westmount ou Côte-
Saint-Luc alors que moi, le vieux chnok, jamais pu sortir
du ghetto. La neige, à mon bureau, tout en haut de la maison, juste à la hauteur de la dernière branche de l'érable.

R. Cameron, mon ami, ne nous excitons pas. Reste
encore huit séances à meubler. L'attente du Messie pour
1666, le monde juif en 1666: trois heures. Petite balade
vers le bassin méditerranéen parce qu'ils s'imagineront la
Floride. Rien à voir avec Miami, je dirai. Faudrait pas
confondre Constantinople avec Fort Lauderdale. Eastern
première classe ou Sunflight, pop-corn et coke, ou Delta,
champagne même en classe économique. Doucement les
basses. Et reHistoire. L'Empire ottoman. Cours marrant.
J'aime ça. Un peu d'exhibitionnisme. J'aime la corne
d'or. Lyrisme sur les soleils couchants, ton grandiose.
Grande civilisation. Odeurs. Odeurs. Enfin, Sabbatai tel
qu'en lui-même. Deux à trois séances pimentées. Ne pas
oublier sa putain. Protestations indignées des plus
religieux dans le cours. Le vieux con est un mécréant, un
rouge c'est bien connu. Passage à la mythologie avec la
conversion à l'Islam, bouffonnerie genre grand turc, et
souffle d'épopée eisensteinienne. Finalement c'est marrant. Ils risquent d'aimer ça. Le faux Messie, la reprise en
main et les sectes sabbatiques et petit aperçu sur Frank,
un siècle après comme il se doit — cornichons et smoked
meat. Le cours est fini — have a nice holiday. Je pourrai
reprendre mes affaires si je ne crève pas d'ici là. La
neige. Sabbatai. La neige. Un deux-pièces, je crois. Je ne
vois pas de cuisine. Juste un petit deux-pièces avec le
poêle au milieu. Le chat ronronne. Il neige. Je reviens du
cheder, la goutte au nez. Les vieilles galoches prennent
l'eau. Ma pèlerine me protège mal. Il neige à gros
flocons. Je reviens du cours de violon, pas du cheder.
Combien de neige depuis tombée a recouvert jusqu'aux
stèles des vieux cimetières juifs — c'est ça — je suis allé
m'amuser avec Junkle et Haïm au lieu d'aller comme de
coutume au cours de violon. Souvenir — littérature —
intertexte. Tu parles Charles. C'est du Babel. Mais c'est

que nous avons eu la même enfance. Odessa exceptée —
Je n'en connais que le grand escalier du *Cuirassé
Potemkine* comme tout le monde. Non, moi c'est Vitebsk,
Chagall oblige. Autant lui laisser la parole à moins que ce
soit lui qui parle en moi, ou que nous soyons tous les
deux parlés par la même enfance.

« Ma ville triste et joyeuse.

Enfant, je t'observais de notre seuil puéril. Aux
yeux enfantins, tu apparais claire. Lorsque la cloison me
gênait, je montais sur une petite borne. Si encore ainsi je
ne te voyais pas, je montais jusqu'au toit — pourquoi
pas ? Mon grand-père y montait aussi. Et je te contem-
plais à l'aise. Ici dans la rue Prokowskapa, je naquis pour
la deuxième fois. Dieu, toi qui te dissimules dans les
nuages ou derrière la maison du cordonnier, fais que se
révèle mon âme, âme douloureuse de gamin bégayant,
révèle-moi mon chemin. Je ne voudrais pas être pareil à
tous les autres ; je veux voir un monde nouveau.

En réponse, la ville paraît se tendre comme les
cordes d'un violon et tous les habitants se mettent à marcher au-dessus de la terre, quittant leurs places habi-
tuelles. Les personnages familiers s'installent sur les toits
et s'y reposent. Toutes les couleurs se renversent, se ré-
duisent en vin et mes toiles jaillissent de la boisson.
Vitebsk, je t'abandonne. Demeurez seuls avec vos harengs. »

Ne pas commencer par les dégoûter quand même.
Ils finiront par me renvoyer. Petite retraite. Des clopi-
nettes. Expédié dans l'autre monde, l'asthmatique vite
fait. Parti rejoindre Sabbatai Zevi à Constantinople en
DC 10. Garder la clientèle. Un sujet passionnant, je dirai.
Nous allons l'aborder par le contexte historique. Vous
savez à quel point il est nécessaire de comprendre les

rapports de forces entre puissances en Europe centrale et orientale. Le contrecoup de la Réforme et de la guerre de Trente Ans. L'Histoire de la Pologne et de la Russie. Les diverses communautés qui, communautés quoi. La neige. Un bon café chaud. Les branches de l'érable ploient. La poudrerie volute aux fenêtres. Du saumon fumé sur des tartines de cream cheese. Une vingtaine de bouquins tout autour. Le chat ronronne près du poêle — maman étale sur du pain au cumin, la graisse d'oie. «Les Juifs, écrit l'écrivain ukrainien contemporain Galapovski, exultaient. Certains abandonnèrent leurs maisons et leurs biens, refusant de faire le moindre travail et proclamant que le Messie allait arriver pour les transporter sur un nuage jusqu'à Jérusalem. D'autres jeûnèrent des jours durant, refusant même la nourriture à leurs petits enfants et, pendant ce dur hiver, se baignèrent dans des trous d'eau pratiqués dans la glace en récitant une prière récemment composée. Les chrétiens tièdes et de peu de foi, en entendant parler des miracles accomplis par le faux Messie et voyant l'arrogance sans frein des Juifs commencèrent à douter du Christ» (cité par D. Bakan — *Freud et la tradition juive* — Payot, p. 91) c'est cela. Insister sur le grand carnavalesque, le picaresque, le vagabondage, le tohu-bohu messianique sur les routes d'Europe orientale, l'étoffe multicolore de cette humanité errante. Leur faire toucher du doigt ce que représentait l'attente pour une âme simple du fin fond de Biélorussie ou de Volhynie, l'attente totale. La faim d'absolu — la neige — les flocons fins persistants à peine perceptibles. Natacha, dès que la neige s'arrêtera, j'irai te faire une petite visite. Il est vrai que ta tombe menace ruine et qu'elle me coûte les yeux de la tête, mais je n'aime pas passer une semaine sans te saluer et discuter un peu avec toi. Le chat ronronne — maman étale de la graisse d'oie sur du pain au cumin. Je reviens

du cours de violon. Les toits de Vitebsk se découpent sur
la Dvina glacée. Je me souviens de couleurs lilas, d'aubes
vertes, de nuits jaune citron et de barbes noires. D'abord
établir une bibliographie, voir à la bibliothèque ce qui
peut traîner ici et là en français, en anglais, en yiddish, en
russe et en allemand. Évidemment, je suis sûr — beaucoup de choses en hébreu. Tant pis. Si avec cinq langues
je n'épuise pas le sujet, je guivappe. Je commencerai par
faire photocopier l'article sur Sabbatai Zevi dans l'*Ency-
clopedia Judaica* — bon point de départ — après on verra. Constituer des dossiers, un dossier sur Chmielnicki,
un sur les mouvements mystiques, un sur la géopolitique
de l'Europe centrale du temps, un sur l'Empire ottoman.
Je ne suis vraiment pas content de vos copies. Vous
n'avez pas fourni un gros effort cette semaine. Vous
n'êtes même pas capables de savoir qui était l'allié du
grand Khan de Crimée. À revoir. À reprendre. À recommencer. Fait ce qu'il peut mais peut peu — au travail —
je dirai — et si cela ne les intéresse pas du tout — si on
m'envoie paître parce que deux hurluberlus seulement se
seront inscrits à mon cours. Rester dans la grande robe de
chambre, à la table de pin sous la fenêtre d'angle avec
une vingtaine de bouquins autour, mon vieux stylo Bedford marqué R. Cameron, en main, avec une tasse de café
très chaud et du saumon fumé sur une tartine de philadelphia cream cheese — manipuler à l'envi mes fiches,
avancer un peu ce texte que je traîne depuis si longtemps.
Ne pas sentir le froid. Dehors la neige à longueur de journée. Suave Mari Magno. Les lumières des maisons d'en
face, comme les bougies dans les cabanes de Vitebsk aux
alentours de la ville. Les vieilles boutiques pleines de harengs. Mortre Himmelfarb couleur de ciel, un peu blafard
ce matin — couleur du ciel neigeux — un peu cafard —
un peu lève tard — je ne me suis pourtant pas réveillé

sans nez comme le conseiller d'État Kovaliov ni transformé en véritable vermine à l'instar du pauvre Grégoire
Samsa. Rien de tel. Seulement ce damné cours qui va me
prendre tout mon temps. Reprendre tout le plan de ces
douze séances. Sabbataï Zevi d'abord peut-être. Son épopée personnelle trois séances — est-il psychopathe ?
Théorie d'un tel — est-il homosexuel ? Théorie d'un tel.
Qui est Sarah ? Flash-back ensuite. L'époque de Chmielnicki. La Pologne. L'Ukraine, les Juifs — massacres.
Long panoramique sur les cadavres. Hordes d'orphelins
sur les routes — désespoir spirituel des communautés juives. Gros plan sur les vieux Juifs de Chagall. Zoom sur
leurs visages ravagés. Nouveau flash-back sur la religion
et la spiritualité juive. Rappel des courants mystiques, de
la Kabbale ancienne et moderne. Le Zohar. Abulafia et le
jeu des lettres. Là, je risque de les intéresser — insister —
ne pas hésiter à citer et expliquer longuement Scholem…
« Le lecteur moderne qui lit ces écrits sera très étonné de
trouver une description détaillée d'une méthode qu'Abulafia et ses compagnons appellent dilling et Kefitsa, le
"saut" ou le "bond" d'une conception à une autre. En
fait ce procédé n'est rien moins d'autre qu'une méthode
très remarquable de se servir d'associations comme un
moyen de méditation. Ce n'est pas tout à fait "le libre jeu
des associations" bien connu de la psychanalyse, c'est
plutôt la manière de passer d'une association à une autre
association déterminée d'après certaines règles qui sont
toutefois suffisamment lâches. Chaque saut ouvre une
nouvelle sphère définie par certaines caractéristiques for-
melles mais non matérielles. À l'intérieur de cette sphère,
l'esprit peut associer librement. Le "saut" réunit par
conséquent des éléments d'une association libre et gui-
dée, et on dit qu'il aboutit à des résultats extraordinaires
jusqu'à ce que tout le champ de la conscience de l'initié

soit touché. Le "saut" permet d'éclaircir les processus
cachés de l'esprit "il nous délivre de la prison de la sphère naturelle, nous conduit aux limites de la sphère divine "» (Bakan, p. 76-77). Après tout, Freud était juif —
peut-être une petite échappée sur ces problèmes. Le saut.
Tout saute. Les lettres d'Abulafia, Sabbatai qui saute de
Smyrne à Constantinople, de Salonique à Jérusalem, les
Juifs qui sautent sur des tapis volants pour arriver plus
vite près de leur Messie, le sultan qui fait sauter Sabbatai
du judaïsme à l'Islam, les Juifs fidèles à Sabbatai contre
lesquels les rabbins lancent des brefs d'excommu-
nication. L'Histoire saute, caracole, se tord de rire et de
désespérance. Tout rentre dans l'ordre rabbinique et la persécution de toutes les Russies. Je m'égare. Ils ne com-
prendront pas le deuxième ni le troisième degré. Il faut
suivre la chronologie. Ils en ont bien besoin. Écartelé, li-
vide au milieu des tempêtes — Natacha — aide-moi: le
vieil asthmatique s'enfarge. La neige sur la tombe aussi.
Froide la pierre et la photo finit par s'écailler sur la stèle.
Tu aimais les petits cimetières intimes. Celui du Tholon-
net près d'Aix-en-Provence — nous aurions pu — Pourquoi avoir voulu fuir? Rentrée du camp — tu ne pouvais
plus. L'arrestation. La grande rafle. Les Français tous
collabos, tu disais. Tu ne voulais plus. Ici tu as six mois
de neige sur toi. Tu as froid. La terre est dure, gelée. Tu
habitais de l'autre côté de la Dvina chez les artisans du
cuir et les forgerons. Des boucles blondes. Tu riais dans
la tempête. La grande rafle. Les Français tous collabos —
tu disais — tu ne voulais plus. Sabbatai Zevi se marie
avec la Thora. Imaginez la scène des noces à Salonique.
Vous pourrez mettre en œuvre toute une symbolique ca-
balistique et essayerez de dégager l'atmosphère colorée
du petit peuple de Salonique. Sabbatai Zevi va consulter
un psychanalyste. Il a des visions, des hallucinations. Il

voit des poissons partout. Il transporte un poisson dans un berceau. Il lui pousse des écailles, des nageoires. Dieu. Poisson. Imaginez une séance. Sabbatai Zevi sur le divan parle. Vous pourrez vous servir du « Laplanche et Pontalis » si vous voulez. Natacha. Fucké

magané. Sabbatai Zevi parle de sa mère. Il aime sa mère. Il n'aime qu'elle. Elle est pour lui le Grand Tout dans lequel il veut se fondre. Il n'a pas d'autre horizon. Pas le moyen de rompre cette relation duelle. La voie du symbolique est barrée. La Kabbale, la Kabbale, le Zohar. Euphories. Dépressions graves, visions. Hallucinations. Dieu d'Abraham, Dieu d'Isaac, Dieu de Jacob — Tétragrammaton. Ils m'ont banni de Smyrne. Sous le dais nuptial, ma fiancée la Thora. Je t'aime. Trois mariages non consommés. La Thora, ma mère. La Thora, ma fiancée. L'attrait de l'Interdit, du démon. Puissance des ténèbres. Tétragrammaton. De Smyrne à Salonique. Ils m'ont banni de Smyrne — errer le long des tombes, à Jérusalem — le Pèlerin traversant la mer depuis Rhodes aux senteurs de pins — Sarah, ma mère, Sarah, ma femme, Sarah, la Thora. Elle se disait réchappée des massacres de Chmielnicki, orpheline, d'une famille installée depuis longtemps en Podolie. Un noble polonais aurait abusé d'elle. Abandonnée de tous, se retrouvant à Amsterdam — de là en Italie — le prophète Osée n'épousa-t-il pas une putain ? Ma mère est morte. Je ne sais pas. La Kabbale. Tétragrammaton. Bien entendu, je n'en ferai rien. Donner des sujets classiques. Prévoir longtemps à l'avance sur quoi portera l'examen. Les massacres de Chmielnicki en Europe orientale. Pas de surprise. Le sujet aura été traité. L'Histoire est chronologie, voyons donc. Mille six cent quarante-huit avant mille six cent soixante-six. Trente-six heures à organiser sur Sabbatai Zevi, soit douze séances de trois heures chacune. Le chat ronronne. Il neige.

Vitebsk disparaît, se feutre, se plie. Les églises à bulbe
tournent au violet vif. Maman étale de la graisse d'oie sur
du pain au cumin. Mille neuf cent trente avant aujourd-
d'hui — l'Histoire s'emballe quelquefois. Reprendre le
plan systématiquement. Commencer par la mystique juive. La Kabbale. Ibn Gabirol «Chochmah nistarah» et
puis une bonne mise en garde pour les étudiants de première année.

> «Ce qui est trop difficile pour toi, ne le
>   cherche pas,
> ce qui est trop fort pour toi, ne le scrute pas
> ce qui t'est commandé, médite-le, car tu n'as pas
> besoin des secrets.
> Ce qui va plus loin que tes œuvres ne t'en mêle
>   pas,
> déjà on t'a montré ce qui passe l'intelligence
>   humaine.»

Le sacré nom de Dieu, celui qui possède le Shem.
La puissance du Golem — le film de Wegener à passer si
je trouve une salle équipée. Rabbi Loew donne vie au
Golem, l'anime du Shem en lui mettant un signe magique
dans la poitrine. C'est en creusant un puits dans une
vieille synagogue que des ouvriers trouvent une statue. Ils
l'apportent à un vieil antiquaire — ce dernier retrouve la
formule magique, arrachant à la Kabbale un de ses mystérieux secrets — Recommence le miracle. Le répète. Le
Golem devient ainsi le serviteur de l'antiquaire. Mais il
tombe amoureux de la fille de l'antiquaire. Éconduit, il se
transforme en force aveugle — une jeune fillette lui retire
la formule secrète du cœur pendant que le monstre est endormi, et alors le Golem redevient simple statue d'argile.
Le souffle du Shem — c'est ça — Dériver vers le Golem
et l'expressionnisme allemand — Sabbatai Zevi dans la

République de Weimar. Un Messie pompier pour 1933,
s'il vous plaît, pour éteindre l'incendie du Reichstag. Un
Messie scrutateur pour modifier les données du vote —
élections de 1932 :

KPD (communistes)	13 779 000	soit	37,3 %	ou l'inverse
SPD (socialistes)	7 960 000	soit	21,64 %	si vous
Les deux partis de gauche alliés	21 739 000	soit	58,94 %	voulez

ont la majorité absolue au Reichstag
         soit   230 sièges pour les communistes et
                 133 sièges pour les socialistes ou l'inverse
au total :   363 sièges.
Le NSDAP (les nazis)   5 370 000 voix, soit 14,3 %.

Tout danger est écarté.

Lecture obligatoire : le Golem de Meyrink. Petite
promenade dans le ghetto de Prague, ruelle du Coq.
        Toits tordus, loggias vermoulues, impasses obscu-
res, ruelles d'épouvante. « Chaque fois, un homme totalement inconnu, imberbe, le visage jaunâtre et de type
mongol, se dirige à travers le quartier juif vers la rue de la
vieille école d'un pas égal, curieusement trébuchant
comme s'il allait tomber en avant d'un instant à l'autre,
puis soudain disparaît. En général, il tourne un angle de
rue et se volatilise. »
        Revenir à Chmielnicki. La geste des cosaques Za-
porozhye. Montrer les enjeux et le système de l'arenda
dans lequel les Juifs se trouvaient pris — la colonisation
des terres par la Noblesse polonaise — Bogdan Chmielnicki qui se veut le grand hetman d'une Ukraine autono-
me. Il neige. Tu aimais tant la neige Natacha — Rester
assis au bureau de pin sous la fenêtre d'angle, emmitouflé
dans la robe de chambre, à la main le vieux stylo

new-yorkais Bedford, avec une vingtaine de bouquins
tout alentour, avec un café très chaud et une tartine de saumon fumé sur du philadelphia cream cheese — le vieux
couleur de ciel se sent revivre, redémarre. Il reprend son
texte un peu fou, sa tentative fantastique pour faire revivre Sabbatai Zevi. Rien à voir avec ce cours à la manque.
L'imagination galope à travers le bassin méditerranéen,
campe quelque temps à Jérusalem et se fixe quelque part
en Europe orientale au pays du Baal Shem — c'était du
moins le plan établi mais le texte a dévissé, blessé dans
les crevasses de l'inconscient. Tu ne sortiras pas du ghetto. Tout ramène à la dernière guerre. Au camp dans la
neige avec mon numéro sur l'avant-bras gauche. Natacha
à moitié morte. Le retour à Paris et notre fuite. La grande
rafle. Les Français tous collabos, tu disais. Tu ne voulais
pas. Enfin déboucher sur Sabbatai Zevi. Le point de vue
théologique entre guillemets, le point de vue psychanaly-
tique, le point de vue psychiatrique, le point de vue historique tout simplement — le personnage énigmatique.
L'Inconnu malgré l'immense bibliographie qui l'encom-
bre. Insister peut-être sur l'après Sabbatai Zevi. Le mouvement social qu'il déclenche malgré lui, le marginal révolté qui veut déposer le sultan, l'épopée de Hayrin Malakh
à la tête d'une caravane de mille cinq cents personnes en
direction de la Terre sainte où le Messie doit réapparaître
en 1706. Voyage incroyable — attente vaine — On y
laisse des plumes. La croix ou le croissant. La petite secte
adore une statue de bois qui représente Sabbatai Zevi.
Phénomène aberrant ce mysticisme ? Non pas. Il ne faudra pas abuser de ces fausses interrogations. Les étudiants
n'aiment pas trop ça. Une fois ou deux seulement. Les
obliger à lire. Un deux-pièces, je crois, je ne vois pas de
cuisine. Juste un petit deux-pièces avec le poêle au milieu. Le chat ronronne. Il neige. Je reviens du cheder. La

goutte au nez. Les vieilles galoches prennent l'eau, ma pèlerine me protège mal. Il neige à gros flocons. Je reviens du cours de violon, pas du cheder. Natacha, tu aimais tant Babel. La visite hebdomadaire au cimetière a quelque chose d'irréel surtout en hiver. La montagne semble flotter dans l'air comme un rocher de Magritte. Les multiples stèles des tombes sont comme les mille dents d'un monstre sous la violence du vent — au loin, la ligne des Laurentides est une Méditerranée silencieuse. Tout est bleu certains jours, la neige est bleue. La glace est bleue. Les doigts sont bleus. Les érables penchés par le vent prennent des allures de pins parasols. Les peupliers cyprès mènent à ta tombe. Avant-guerre du côté de Nice. Avant les camps, avant la neige, avant le temps — avant ce numéro sur mon avant-bras gauche. Tu te souviens de cette histoire de Peretz que tu racontais aux enfants du voisin. L'âme qui passe en jugement et le fléau juste au milieu de la balance. Les deux plateaux égaux — on n'a jamais vu ça — foi de jugement dernier — l'âme est condamnée à errer sur la terre jusqu'à ce qu'elle puisse apporter aux saints du Paradis trois présents particulièrement dignes de ce lieu exceptionnel. L'Histoire raconte que des voleurs s'introduisent chez un riche Juif. Ils le pillent sans que ce dernier se départisse de son calme, ils emportent or et argent, bijoux et meubles sans que notre Juif dise quoi que ce soit sous la menace du poignard du chef des voleurs — soudain lorsque ces derniers ouvrent un petit tiroir, le Juif frémit. Pas celui-ci balbutie-t-il et le poignard s'enfonce dans son dos. Il tombe raide mort. Ce qu'il y avait dans le petit tiroir? Pas d'or, pas d'argent, pas de bijoux. Il y avait un petit sac de toile contenant de la terre de Palestine que le Juif voulait emporter dans son tombeau. Ce fut le premier présent que l'âme apporta aux saints du Paradis — ish — hayabi — Tu te souviens

comme tu racontais bien ces histoires ancestrales dans
ton yiddish de Biélorussie aux inflexions chantantes. Vitebsk est loin Natacha — Tu es loin sous quelques pieds
de neige. Séparés. Peu après ta mort, j'avais pris l'habitude de t'écrire des petits mots sans queue ni tête, à propos
de tout et de rien. Il y a près de vingt ans de cela. Tu refu-
sais ce pays. Rien que des curés, disais-tu. Pire que l'Espagne. La Pologne. Ma parole c'est la Pologne. Tu aurais
voulu rester à New York. Vitebsk est loin Natacha —
nous ne verrons plus ensemble les bords de la Dvina et
les couchers du soleil ocre et rose, pâles comme du taffe-
tas. On m'avait bien prévenu cependant. Ne prends pas le
cours sur Sabbatai Zevi. Tu en as bien assez avec le cours
de yiddish et celui sur Mendale Moirer Sforim, cours
classiques, rodés depuis longtemps que tu donnes chaque
année. C'est sans doute ma nouvelle à peine commencée
qui m'a fait accepter ce pensum. Sabbatai Zevi après sa
conversion à l'Islam — Aziz Mehmed Effendi revêtu du
turban, gardien des portes du palais, gratifié d'une pen-
sion royale de cent cinquante piastres par jour en plus de
son salaire — Aziz Mehmed Effendi donne dans le liber-
tinage, encourageant quelque peu des sectes dissidentes
de l'Islam. Hétérodoxe dans toutes les religions, exilé en
1673 en Albanie, au bout du monde, écrivant « les mystè-
res de la vraie foi » s'éteignant comme on dit le 17 septembre 1676, laissant le peuple d'Israël sans Messie, à
l'abandon, dans l'errance et la désolation. Va pour les as-
pects pittoresques mais il faudra aussi aborder le détail de
la doctrine. Ce contre quoi les rabbins orthodoxes s'achar-
naient. Transfigurer Sabbatai Zevi. En faire un grand
penseur, un révolté, presque un révolutionnaire, un marginal, un déviant. Sabbatai Zevi notre contemporain. Le
schizo — le dingue — le psychotique, le border line —
l'irrécupérable semeur de merde, conquérant les foules,

les pauvres, les sans-espoirs. Messie ne vient-il pas de
mess qui, en anglais, veut dire bordel, désordre ? Ou
plutôt manier sciemment l'anachronisme, faire établir une
fiche de police par quelque grand vizir à la solde de Ko-
proli, peu après la conversion de Sabbatai à l'Islam, ou
par la CIA,

nom :	EFFENDI, appelé autrefois Sabbatai Zevi.
date de	
naissance :	né en 1626.
domicile :	en change souvent, établi à Constantino-ple, natif de Smyrne.
profession :	gardien des portes du palais — prédicateur à ses heures.
état civil :	marié à une Juive polonaise nommée Sa-rah qui aurait dit-on la cuisse légère.
signes	
particuliers :	à surveiller — dossier rouge — individu dangereux — a semé la perturbation dans les populations juives de la Sublime porte et de bien au-delà sur les routes de l'Euro-pe au-delà du pont Euxin — prêche à sa façon la subversion sociale — à éloigner de Constantinople en cas de besoin — ris-que à tout moment de porter atteinte à la sécurité nationale — brancher son télépho-ne sur les tables d'écoute afin de surveiller ses relations.
mœurs :	douteuses — passe pour un déséquilibré sexuel, un hy-pocondriaque sans doute schizophrène — s'est longtemps pris pour le Messie — un petit séjour en maison de repos des mari-nes lui ferait le plus grand bien.

Ce serait trop simple — à peine arrivée installée comme depuis toujours — tout irait pour le mieux dans le meilleur des mondes — Ce pays — opaque — Tu le savais. Tu te seras vite aperçue qu'on n'entre pas ici à la manière des doctes, des professionnels du savoir, des observateurs, des journalistes et autres socio-ethnologues. Tu auras vite compris qu'on n'entre pas ici par construction conceptuelle, extériorités ou neutralités diverses — non — Il t'aura fallu laisser parler le langage du corps — Tu auras été pénétrée par ce pays, par sa lumière, sucée par sa langue qui n'est pas tout à fait la tienne, ni tout à fait une autre, fouettée par ses vents du Nord et ses poudreries. Au hasard, par associations, incohérences, rencontres imprévues, rendez-vous manqués, voyages différés, maladresses, malentendus, détours, voies latérales, Nebbenwegge — Tu auras été portée, happée, dévorée à la va-comme-je-te-pousse. Rejetée la plupart du temps, refusée — défaite, refaite — la porosité des lieux à t'envahir — sans ordre, ni chronologique, ni logique.

Des Ségur-Rubinstein. Pas de mésalliances, tes aïeux sans alliance n'avaient pas accès aux salons de l'avenue de Ségur — À Longueuil le long d'une route :

> Le fleuriste pissenlit
> Gaz
> Pizza patio
> Photo Sainte-Foy
> Autobody
> La mecque des sportifs
> Vincent Submarines
> Pharmacien Claude Lalumière
> Tabagie Tremblay
> La caisse populaire

Restaurant *Fripon* spécial du jour, repas complet, breuvage. Enseignes, clignotants, la ville engloutie, t'engloutit — dépaysée, déportée. Entre deux mers — mais ce n'est pas du Bordeaux — à peine un océan à boire — noter toutes les différences — les noms des stations de métro — l'étrangeté

Angrignon
Monk
Jolicœur
Verdun
De l'Église
La Salle
Charlevoix
Lionel-Groulx
Atwater
Guy
Peel
McGill
Place des Arts
Saint-Laurent
Joliette
Pie IX
Viau
L'Assomption
Cadillac
Berri-de-Montigny
Beaudry
Papineau
Frontenac
Préfontaine
Langelier
Radisson
Honoré-Beaugrand.

Quelle angoisse certains après-midi — Québécité — québécitude — je suis autre. Je n'appartiens pas à ce

Nous si fréquemment utilisé ici — Nous autres — Vous
autres. Faut se parler. On est bien chez nous — une autre
Histoire — L'incontournable étrangeté. Mes aïeux ne sont
pas venus du Poitou ou de la Saintonge ni même de Paris,
il y a bien longtemps. Ils ne sont pas arrivés avec Louis
Hébert ni avec le régiment de Carignan — Mes aïeux
n'ont pas de racines paysannes. Je n'ai pas d'ancêtres cou-
reurs de bois affrontant le danger de lointains portages. Je
ne sais pas très bien marcher en raquettes, je ne connais
pas la recette du ragoût de pattes ni de la cipaille. Je n'ai
jamais été catholique. Je ne m'appelle ni Tremblay, ni Ga-
gnon. Même ma langue respire l'air d'un autre pays. Nous
nous comprenons dans le malentendu. Je sors de l'auberge
quand vous sortez du bois. Par-dessus tout, je n'aime pas
Lionel Groulx, je n'aime pas Duplessis, je n'aime pas
Henri Bourassa, je ne vibre pas devant la mise à mort du
père Brébeuf, je n'ai jamais dit le chapelet en famille à 7
heures du soir. Je n'ai jamais vu la famille Plouffe à la télévision. Autre, à part, en quarantaine — la quarantaine.
Des cheveux blancs déjà — à la recherche d'un langage,
de simples mots pour représenter l'ailleurs, l'épaisseur de
l'étrangeté, de simples mots, défaits, rompus, brisés, désé-
mantisés. Des mots images traversant plusieurs langues —
Je ne comprenais pas le pourquoi des ventes sales, sinon
qu'elles n'étaient pas le contraire des ventes propres. De
simples mots ne cachant pas leur polysémie, à désespérer
de tout. Je ne suis pas d'ici. On ne devient pas québécois.
Prendre la parole, rendre la parole aux immigrants, à leur
solitude. Give me a smoked meet — une rencontre fumée
comme il y a des rencontres rassies ou des rencontres
bleues — c'était un pays bleu. Certains jours la neige
même tournait au bleu. Tous les yeux dans la rue étaient
bleus. Le ciel bien sûr mais aussi les langues de soleil sur
les façades vitrées — les habits des passants, leur visage

même bleui de froid. La campagne se transformait en un
immense diamant bleu de ville polaire. Le bleu c'était
aussi les plis du drapeau québécois claquant au vent glacé.
Tout était bleu. Les lacs gelés étaient bleus. Bleu roi, bleu-
vert, bleu de mer du Nord — de simples mots pour représenter la différence quotidienne — une parole autre, mul-
tiple. La parole immigrante comme un cri, comme la
métaphore mauve de la mort, aphone d'avoir trop crié. Un
pays bleu comme les bleuets, ces myrtilles-fleurs — un
pays crêpe de fausse Bretagne.

> 2070 — 2102
>   rue de la Montagne Montréal
>   Le rendez-vous des gourmets
>   Chez grand-mère — omelettes
>   Le colbert : crêpes
>   À la crêpe bretonne
>   Le bistrot
>   La cabane à sucre
>   Le lancelot
>   Bar le cachet
>   Le fou du roi
>   La crêpe au bleuet et *gwennerch'h* crêpe à la
>   pâte d'amande
>   avec crème Chantilly
>   flambée au kirsch :
>   joyau de la maison —
>   5 dollars 75 cents.

❏

Étais-tu moins seule dans cette foule animée du samedi soir se pressant à la Contrescarpe. Au pied de chez
toi boutzoukis et féta — odeur de mouton rôti au thym —
au milieu des rires faux. Vers onze heures du soir, le

vendeur de journaux à l'accent pakistanais « *Hara-kiri*, *Charlie-Hebdo*, *Libération*, *Hara-Kiri*, *Charlie-Hebdo*, *Libération* ». Étais-tu moins seule penchée à la fenêtre à regarder déambuler mendiants, clochards, drogués, amoureux, chômeurs, vadrouilleurs, snobs en tout genre, intellos déprimés et nénettes en mode rétro ? Tous personnages à la Bretécher à commencer par toi. Tous à la Chope pour pleurer sur la dureté du temps et sur l'injustice du sort entre poutres apparentes et tire-fesses à Courchevel. La frime — on venait même le dimanche visiter la maison — la cour intérieure, tout en longueur, était séparée du jardin d'à côté par une murette au milieu de laquelle subsistait la demi-margelle d'un vieux puits. La vigne vierge le long de la façade répondait à un grand arbre rempli d'oiseaux, au printemps c'était la campagne. L'air vrombissait de mouches, de vapeurs chaudes. Dans le salon qui faisait face à la maternelle, juste à l'angle de la rue Saint-Médard, la vieille cheminée retapée qui tirait mal ; appartement bonbonnière dont le propriétaire avait oublié d'augmenter le loyer. En plein cœur de Paris, ton petit village. Du Panthéon aux Gobelins, de la rue de l'Arbalète à la rue Cujas. Au-delà… Traverser la Seine à nouveau, ou l'Atlantique. Le pont traversé. C'était le nom d'une librairie disparue. Le temps traversé. L'espace troué. Tu savais. Qu'on regrette toujours l'Europe aux anciens parapets. Tu n'iras plus — disais-tu — chercher ce qui manque à la dernière minute au « Persil fleuri » juste en face. Tu ne feras plus la queue — disais-tu — chez la charcutière bretonne de la rue Blainville qui voulait obliger tous-ces-cons-qui-viennent-se-bronzer-le-cul-chez-nous à avoir des passeports. Tu n'iras plus à la boucherie de la place où le boucher dit toujours voui en postillonnant partout.

— une belle escalope, s'il vous plaît ?

— voui
— pas trop grosse tout de même
— voui.

Tu n'iras plus à la boulangerie chez les dingues où toute la famille zozotait. Tu ne descendras plus la rue pour aller au marché te faire interpeller par les diseuses de bonnes herbes. Le dimanche matin autrefois — le vendeur du *Mundo obrero* — Tu remontais la rue, deux filets archicombles. Certaines fois, à la hauteur de la rue de l'Épée de bois, un orphéon à l'ancienne et plus loin un orgue de Barbarie — une vraie image d'Épinal — encore plus haut un clochard — donnez-moi un franc mam'zelle. C'est fou c'que j'peux faire avec un franc : ou un morceau de pain, ou quelques cigarettes ou un demi-fenouil ou un verre de pinard. Rue Saint-Médard juste au-dessous de tes fenêtres il y avait quotidiennement un autre clochard perpétuellement ivre qui tenait conseil. Tel saint Louis sous son chêne, il trônait sur un matelas éventré tenant à la main un téléphone ramassé dans quelque poubelle de la rue Descartes. Adossé au mur de l'école, il téléphonait bruyamment, à Dieu, à sa mère, à Giscard. Tu l'avais baptisé Ombilic à cause du cordon de téléphone. Ombilic restait là des heures, par tous les temps. Tu le voyais le matin de la cuisine, encore à midi, parfois même en fin d'après-midi. Ombilic, je pense à toi. On se fait la malle Madame. Tu as mal à tes voyages, aux anciennes demeures déshabitées de toi, désertées de ton quotidien. Tu savais qu'il y a des décalages horaires, des pôles et des équateurs, des solstices et des équinoxes, des banquises, des ailleurs, des exils, des impossibles. Tu savais. Demeures dépenaillées de Belleville, pans de murs à demi écroulés, terrains vagues d'enfance songeuse, lampadaire en haut des escaliers du ballon rouge, courettes

intérieures, pavés moussus, chats de gouttières bâillant
aux fenêtres ensoleillées entre les pots de géraniums et
les bouteilles de Postillon. Certains soirs la nostalgie. Le
vieux folklore — du rémouleur au vitrier. Je me souviens
d'un coin de rue aujourd'hui disparu. Toits inégaux, cheminées délabrées, gouttières de zinc, labyrinthes décou-
pant le ciel bas. Des déchirures violentes. Tu n'irais plus.
La porosité des lieux t'habitait. Ils étaient en toi. Ta seule
identité. Tu avais été ce morceau de Belleville au coin de
la rue Piat et de la rue Vilin. Ce coin de la Contrescarpe
fleurant le fenouil et le serpolet, la vigne vierge entrant
ses vrilles dans la chambre. Tu avais été cette maison
meublée d'extravagances avec la vieille table en noyer, le
secrétaire espagnol, le guéridon en if et la table Geor-
ges III supportant les lampes à pétrole et le vase rustique
toujours débordant d'iris et de soucis. Tu avais été cette
moiteur élégante, ce paradis des amours adultères, recro-
quevillé, moite, lourd. Silence sonore, bavard, ahuri. Paris populo, Paris pourri, Paris-poubelle, Paris-poivrot, Pa-
ris-putain. Tu avais joué dans les caniveaux du passage
Ronce à faire descendre de petits bateaux de papier
jusqu'à la rue Julien-Lacroix. Tu palpitais de cette vie-là,
des petits trous que les poinçonneurs du métro faisaient
autrefois avant l'établissement des machines automati-
ques. Pour un peu, toi aussi tu te mettrais à traverser le
Luxembourg, une besace sur le dos comme les dictées ti-
rées d'Anatole France. Les marrons chauds, les crêpes au
rhum, les roudoudous et les boîtes de coco. Tu as mal à
tes voyages. Tu savais que — qu'il y a des guerres de
Cent Ans, des traités de Versailles, des traités de Wes-
phalie, des traités d'Utrecht et de Rastadt, des unités italiennes et allemandes, des batailles d'Austerlitz et de Sa-
dowa, des prises de la Bastille, de Constantinople et des
palais d'Hiver, des 1515, des 1789, des 1830 et des 1917,

des juillet, des février, des journées de juin, des tristes hivers de 1709, des petites infantes — elle est — toute petite — une — duègne — la garde — elle — tient — à la-main-une-rose-et-regarde — des Luther et des Calvin, des Waterloo, des mornes plaines, d'énormes peines et plein de ratons laveurs. Pourtant, tu reprends aujourd'hui à mille milles de ton lieu déshabité un de ces manuels d'histoire français et tu t'arrêtes sur ce petit détail d'un chapitre qui s'étend sur deux pages à peine : la guerre de Sept Ans et le traité de Paris. « La lutte se déroula aussi aux colonies. Mais le coup de force anglais de 1755 avait rendu malaisé l'envoi de renforts. Les Français furent donc partout inférieurs en nombre à leurs adversaires. Leur gouvernement n'attacha d'ailleurs qu'une importance secondaire à ces lointains théâtres d'opération. "Quand le feu est à la maison, disait un ministre, on ne s'occupe pas de l'écurie !…" En Angleterre au contraire, Pitt, ministre de 1757 à 1761, s'acharna à développer l'effort de guerre — au Canada, les Français disposaient de 10 000 hommes environ, surtout des miliciens recrutés parmi les colons et appuyés par des auxiliaires "peaux rouges" braves mais cruels et indisciplinés. Les Anglais mirent en lignes jusqu'à 60 000 combattants. Commandés par un officier de valeur, le marquis de Montcalm, les Canadiens ne purent empêcher l'invasion de leur pays. En 1759, l'Anglais Wolfe investit Québec qui se rendit à la suite d'un siège héroïque. En 1760, Montréal tomba et la résistance canadienne fut brisée…

Le 10 février 1763, le traité de Paris régla le conflit colonial. La France abandonnait aux Anglais le Canada, la vallée de l'Ohio, la rive gauche du Mississipi, quelques lots des Antilles et ses modestes établissements au Sénégal. Elle renonçait à toutes prétentions territoriales dans l'Inde et n'y conservait sans pouvoir les fortifier que cinq comptoirs: Pondichéry, Chandernagor, Karikal, Yanaon et Mahé. L'Espagne cédait la Floride aux Anglais, mais en compensation la France qui l'avait entraînée dans la guerre lui donnait la Louisiane. Ce traité sanctionnait l'effondrement du "premier empire colonial français". Ce désastre parut alors que de peu d'importance, car seuls étaient appréciés les territoires tropicaux. Aussi l'opinion anglaise manifesta-t-elle une certaine déception, tandis que Choiseul se glorifiait d'avoir joué les Anglais en conservant "les îles". L'Angleterre devint cependant la puissance prépondérante dans le domaine maritime et colonial»... Mais tu n'es pas dans une île à sucre devenue « un département français » — pour quelques arpents de neige — on t'avait prévenue. Ce n'est pas un pays, mais l'hiver. Tu regarderas souvent par la fenêtre pour voir si ça fond, quand ça fond, quand ça commence à fondre. Tu apprendras les différentes qualités de neige et la poudrerie qui cingle le visage. Tu verras s'étaler les chiffres apocalyptiques sur les écrans de la télévision à l'annonce des prévisions météorologiques -10, -15, -17, -20, -25, -27, -32. Tu entendras des mots étranges venus d'ailleurs — baie James, baie d'Hudson, baie des Chaleurs, Labrador; des noms indiens Kamouraska, Arthabaska, Abitibi, Shawinigan. Ton personnage doit bien avoir quelques contradictions, quelque fragilité. Intégrée au milieu anglophone mais venant de Paris, il doit bien y avoir du manque quelque part. Ses déambulations même dans la ville insinuent le clivage. Elle se lèverait tôt le printemps encore tiède sans bourgeons, un peu gris. Elle aurait gardé ses bottes d'hiver et son bonnet — peut-être ses gants. Elle aurait simplement troqué le gros manteau d'hiver contre une veste de cuir plus légère sur une jupe de drap sans forme acquise dans un magasin de fripes à New York. Elle emporterait comme toujours dans

ses promenades un livre, une ou deux revues, son éternel
petit carnet de notes, des cigarettes et son vieux briquet
d'amadou. Elle irait sur la montagne à l'endroit où la vue
permet d'embrasser toute la ville. Elle y resterait quelques heures, tantôt lisant avec avidité, tantôt rêvassant, le
regard perdu accroché au Saint-Laurent. Elle redescen-
drait par la rue MacTavish traversant le campus frileux et
rejoindrait la pâtisserie belge où devant une quiche lorrai-
ne et une salade verte, elle laisserait couler la fin de la
matinée. Elle fumerait quelques gauloises en lisant *Le
Monde*, la chronique nécrologique — il a plu au Seigneur
de rappeler le père Louis Bousigues responsable de la pa-
roisse N.-D. du Raincy, Chevalier de la Légion d'Honneur, croix en guerre 1939-1945, décédé le 16 juillet
1979 dans sa 70e année. Les obsèques auront lieu à l'église N.-D. du Raincy, 83e avenue de la Résistance, le vendredi 20 juillet à 11 heures. Cet avis tient lieu de faire-
part. De la part de Me Jean Bousigues et des familles
Louvert, Pavel, Laurent, Cousin, Pierre et André Chauf-
four, Lerasle, Denos et Saint-Ouen. La météorologie —
le courant frais et instable qui affectera encore la moitié
de notre pays s'atténuera progressivement. La dépression
du nord de l'Italie ne se comblera que lentement. Les
hautes pressions du large atlantique envahiront la moitié
ouest de la France qui sera ainsi protégée de la zone acti-
ve des nouvelles perturbations circulant plus au nord. Le
journal officiel, les cours de la Bourse, les petites annon-
ces où l'appartement moyen est à 50 millions anciens.
Elle passerait ensuite au *Nouvel Observateur* s'affligeant
comme de coutume devant l'indigence des analyses politiques, refermerait l'hebdomadaire et finirait par rêvasser
sans support comme ça dans la fumée des cigarettes et le
ronron des voix. Après le café, elle se laisserait envahir
par la fraîcheur de l'air. Le printemps décidément tarderait

à venir cette année encore. On apercevrait ça et là des
restes de neige, une neige sale et triste, une neige de janvier qui ne voudrait pas mourir. Tantôt c'est autour de
l'Université de Montréal qu'elle dirigerait ses pas dans
l'air piquant de cette fin d'hiver. Elle irait chez Renaud-
Bray prendre la presse, c'est-à-dire *L'Huma*, *Le Matin*,
Le Monde, *Le Nouvel Obs* puis regarderait longuement
les nouveautés ponctuant sa quête de « tiens, tiens, un tel
a publié son travail», ah ! il est enfin « paru » comme si
les ponts n'étaient pas coupés entre elle et le parisianis-
me, comme si le dialogue imaginaire était encore possible. Au bout d'une heure, la librairie aurait épuisé ses
charmes. La faim se ferait sentir. Il lui suffirait de traverser Côte-des-Neiges, de s'installer devant une pizza *Chez
Vito* et le même rituel recommencerait. Elle sortirait de
son sac, ses gauloises, son vieux briquet d'amadou, étalerait journaux et revues, et, croquant dans sa napolitaine,
elle partirait en guerre contre tel article du *Monde*, tel édi-
torial de J. Daniel, pesterait contre telle formulation de
L'Huma, s'esclafferait devant tel jeu de mots de *Libé* puis
ce serait le tour du carnet de notes à couverture rouge et
noir. Elle y remplirait des pages de poésie en yiddish au
fil de l'inspiration — tantôt attaquant une autre portion de
pizza, c'est un mot, une assonance qui s'imposerait brutalement, tantôt au détour d'une cigarette écrasée dans le
cendrier, c'est une image qui prendrait corps, une analo-
gie, une comparaison, tantôt c'est tout un passage qui arriverait comme ça. Elle ne raturerait jamais au départ.
Elle attendrait quelques jours avant de lire. Puis, tra-
vaillerait ces images, ces mots, ces assemblages, ces
structures. Elle resterait là un long moment, à rêvasser.
La Motte Piquet Grenelle — Le canon de Grenelle —
ferraille grise et sonore du métro aérien — le bouquet de
Grenelle — le bar des sports — le Pierrot — trottoirs

mouillés — Paris se déchire — que c'est loin ! La parole
immigrante inquiète. Son questionnement halète d'incertaines réponses. Pas de solution. Bégayante, gauche, de
gauche, mal fichue, fichée. Elle accroche, brise l'éviden-
ce comme une pierre sur un miroir — parole de soleil ou
de plaine lointaine, parole figue, parole olive, parole femme tu ne te laisseras pas mettre au pas, tu ne rentreras pas
dans LE RANG — No trespassing — ne trépassez pas —
Pascal supplies, supplices de Tentale, pale ale, le pale
« Le trum amoche » — le trou à Moshe, babi yar, amo-
chés, le trou — noir — la rage — l'ai-je vraiment quittée ? Elle aussi mon personnage devrait bien savoir que le
Shtetl n'existe plus. Le ghetto — la guerre — les sirènes,
c'est la reine du sabbat mais il n'y a plus de sabbat. La
parole immigrante traverse les mots — la voix d'ailleurs
— la voix des morts. Elle mord. Ses déambulations ressemblent à des fuites lentes entre deux rafles. Elle ne saurait jamais où la porteraient ses pas. Désormais le temps
de l'entre-deux. Entre deux villes, entre deux langues,
entre deux villes, deux villes dans une ville. L'entre —
les parenthèses qu'on appelle en yiddish les demi-lunes.
À l'intérieur des demi-lunes. Demi-lune de miel, demi-lune de mai. Les demi-pleines lunes. Dans les demi-lunes
— écartèlement des cultures je suis à califourchon : rue
Crescent, rue Saint-Denis, rue Victoria — changer de
peau, de langue, de bouffe, d'époque, de sexe, de nom.
Le trouble du nom propre lorsqu'il se perd — lorsqu'il
change — lorsque le signifiant quotidien, la marque, l'in-
signe, la signature changent. Le mien nouveau sonne
comme la mer traversée et la mère perdue. Le seul lien, le
seul pays, ma mère. Toi perdue, à nouveau l'errance. Depuis toujours nous sommes des errants. Immerrants. Im-
mergés. Immer toujours. Himmel le ciel. La perte du
nom, de la mère et du lieu. Sans feu, ni lieu, sans chaleur

— passés réels ou fictifs je vous ai perdus. Nulle part — Pitchipoi — Ici non plus. Il serait une fois une immigrante. Elle serait venue de loin — n'ayant jamais été chez elle. Elle continuerait sa course avec son bâton de Juif errant et son étoile à la belle étoile avec son cortège d'images d'Épinal, de stéréotypes éculés. Elle continuerait à voir la naissance de nouveaux langages, à l'écoute. En dépit de. Il était une fois le passage Ronce à Belleville. Ce qu'il en reste, la trace d'une plaque de rue. Les briques sont plus foncées à cet endroit-là. En haut de la trace « 20e arrondissement » sur un morceau de plaque bleue en arc et au-dessous de la trace — « voie privée interdite aux voitures de plus de 2 000 kg. Les dégâts seront à la charge du délinquant ». Après la Motte Piquet, je ne sais plus. Pourquoi ces mots sans suite, dans leur blessure même, étalés, nus, maladroits. Les mots défaits de l'étranger, les cantilènes archaïques de l'ailleurs. Le long des rues qui se ressemblent, Sherbrooke entre REGENT et la pointe ouest un vendredi après-midi.

CITY   DISTRICT   SAVING   BANK

SUTTON   PASTRY   DELICATESSEN

CHARCOAL   STEAKS   RESTAURANT

BROADWAY GROCERY   MONSIEUR HOT DOG
CANADA DRY   ROYAL BANK

TORONTO DOMINION

BCN

CANTOR'S BAKERY

HITASHI

PEPSI

CINÉMA KENT
          CROWN   CARPET

          TCHANG KIANG   restaurant chinois

          PERRETTE

          SOUVLAKI

TITO   EXPRESSO   BAR

     PRIMO

          HANDY ANDY quincaillerie

On dirait N.Y., le N.Y. du pauvre, délabré. Mon N.Y. à moi. Celui de mes parents imaginaires arrivés à Ellis Island dans les années 1920. Elle aimerait les hamburgers huileux avec relish, mustard sucrée et ketchup. Le tout arrosé d'un coke. Dégueulasse — et le café dit régulier: une espèce de lavasse teintée de café. Elle aimerait. Ce laisser-aller, ce no man's land serait son lieu. Elle se sentirait bien au milieu de cette foule obèse aux vêtements mal taillés, aux couleurs criardes. Après Grenelle — je ne sais plus la ligne se perd dans ma mémoire.

Ils auraient fini par s'intégrer aux milieux juifs de Montréal. Ils fêteraient Purim, Chanouka, Rosh-a-Chana, Yom Kipur. On lirait *Wowarts* et le *Jewish Chronicle*. On écrirait dans *Commentary* voire dans la *Gazette*. On ne manquerait pas les conférences, les activités du Saydie Bronfman Center, on serait des affiliés de la Jewish Public Library. On irait souvent manger au Brown Derby avec Mime Yente. Une vie douce, sans craquements. On irait l'été en Israël à Natanya dans une villa louée de longue date et pour laquelle on économiserait une bonne partie de l'année. L'hiver parfois à Miami chez des parents de Yente. Ç'aurait été bon de continuer comme ça indéfiniment. Ne plus avoir ni la C.I.A., ni la G.R.C., ni le 2e bureau au cul. De bons citoyens, pensant bien, votant Goldbloom au provincial. Une conformité quelconque. Comme tout le monde. Un pays, un drapeau, un hymne. *La Marseillaise*, *Atikva* ou *Ô Canada* mais quelque chose, à pleins poumons, à l'unisson. Cérémonies solennelles, inaugurations, minutes de silence, levées des couleurs, monuments aux morts. Le mot nu ment aux morts. Rien ne cloche — marchons au pas, tous pour un. Noter toutes les différences. Tout noter.

> Sur la MAIN   boulevardSaint-Laurent
> Schwartz Montreal Delicatessen
> Duty Prepared parcels four USSR

The main St. Lawrence Steak House
Voyage OVNIK
WARSHAWA
B . B . Q. Jorbel
Charcuterie portugaise

Berson et fils monuments
Barba Cocorico ZAGREB Delicatessen.

     Une Amérique mal ficelée, tout juxtaposé en vrac. Comprimé de temps et d'espace, tous les pays, toutes les Histoires, tous les peuples. Œcuménisme du pauvre, du poursuivi, de celui qui n'a pas le droit à la parole. En vrac. Éclaté. L'Amérique de toujours. Pas un pays. Des imaginaires, des nostalgies. Des remake, des ersatz. Être au bord, à la porte, au seuil et personne pour vous dire d'entrer — ailleurs — pèlerin sans but. Élie de retour déguisé en mendiant, en immigrant. Oui, ce serait bien. Elle demandait à tous son chemin. Tous étaient désireux de l'aider mais elle ne savait pas où elle allait où elle irait. Elle leur demandait son pays, mais il n'existait pas ayant été oublié par Dieu au jour de la création. Un pays sans Histoire, sans date, sans traités, sans maître et sans serviteurs. Le chemin se perdait vite dans la montagne. Au bout de quelques milles, il n'y avait plus de chemin. Il est dit dans le Dibbouk de Anski que tous les matins à l'aube, l'Éternel pleure sur les ruines du Temple, et ses larmes tombent aux seuils des synagogues. Et c'est ce qui fait aux plus anciennes, des murs ruisselants. Mais elle n'avait que faire des larmes de l'Éternel et des synagogues. Et ses larmes à elle ? Qui viendrait les sécher ?

Depuis des siècles séparée d'elle-même, mise au ban, relaps, sorcière, hérétique, violée, fouettée, enfermée. Le ghetto aussi en elle-même pour se recroqueviller, se faire toute petite comme un chat, une boule, comme cette âme volant de monde en monde à la recherche de ses habits, de ses costumes, de ses masques. En hébreu entre le visage et le malheur il n'y a qu'un vov de différence, une petite barre verticale et entre les morts et le Messie un seul être le ch de chut, du silence de la parole tue.

Elle continuerait de donner les cours sur Babel pour un salaire de misère aux Jewish Studies de McGill. « Le Polonais m'a fermé les yeux murmure le vieillard d'une voix presque imperceptible. Le Polonais est un chien méchant. Il attrape le Juif et lui arrache la barbe, ah ! le sale chien. C'est remarquable, c'est la Révolution ! Et puis celui qui a battu le Polonais vient me dire : "Réquisition, donne ton gramophone Guedali…" j'aime la musique, Madame, je réponds à la Révolution. Tu ne sais pas ce que tu aimes, Guedali, je vais te tirer dessus et tu sauras alors ce que tu aimes et je ne peux pas ne pas tirer, car je suis la Révolution.

— Elle ne peut pas ne pas tirer Guedali, dis-je au vieillard parce qu'elle est la Révolution.

— Mais le Polonais tirait mon doux Monsieur,
parce qu'il était la contre-révolution. Vous tirez parce que
vous êtes la Révolution. Pourtant la Révolution c'est la
réjouissance. Or, la réjouissance n'aime pas qu'il y ait
des orphelins dans la maison. L'homme bon fait des choses bonnes. La Révolution est l'œuvre bonne des hommes
bons. Mais les hommes bons ne tirent pas. Donc ce sont
de mauvaises gens qui font la Révolution. Mais les Polonais sont aussi de méchantes gens. Qui dira donc à Guedali où est la Révolution, où est la contre-révolution ? J'ai
étudié le Talmud et j'aime les commentaires de Rachi et
les livres de Maimonide. Et à Jitomir, il y en a d'autres
qui s'y entendent. Et voici que nous, tous les gens ins-
truits, nous tombons la face contre le sol et nous crions à
haute voix : le malheur est sur nous : où est donc la douce
Révolution ? Le vieillard se tut. Et nous vîmes la première étoile qui pointait le long de la voie lactée.

— Le sabbat passe, proféra solennellement Guedali. Les Juifs doivent aller à la synagogue…

Le sabbat passe. Guedali, le fondateur d'une Internationale chimérique s'en est allé prier à la synagogue. »
Le Shtetl s'en est passé. Guedali et toi aussi et Babel et
bien d'autres. Guedali, Guedali, même ici à Montréal
dans cette Amérique de Delicatessen, de pain noir, de
cornichons, de harengs salés, même ici, Guedali, je cherche le Shtetl sans le trouver. Perdue sur la Main, sur
Saint-Urbain ou sur la rue Roy, elle s'obstinait encore à
demander la rue Novolipie, la rue Gésia, la rue Leszno, la
rue Franciskana. Elle confondait les lieux, les époques,
les langues et les gens. Elle n'arrivait pas à comprendre, à
admettre que tout était fini. Fini, Juddenrein, fini. Même
ici à Montréal, le Shtetl s'en est passé Guedali et passés
nos rêves aussi : Guedali, Guedali, le sabbat passe.

PAS   SI   VITE

Un milieu *quiet* et aveugle à tout ce qui ne le concerne pas étroitement. Cotiser pour Israël et la politique de Begin, vomir l'URSS nouvel ennemi principal, toujours derrière les States, aider Somoza et l'Afrique du Sud. Une logique impeccable, une glissade fatale à partir du moment où l'on choisit son camp. Se fermer à tout combat de gauche. Ne rien comprendre aux Palestiniens, à la lutte des peuples, devenir des dominants, des exploiteurs, des tortionnaires. Faire comme les autres. Un État comme un autre avec sa police, son 2e bureau, son service d'espionnage et de contre-espionnage, ses écoutes téléphoniques, sa censure, ses hiérarchies. Un peuple comme un autre avec ses génies, ses voleurs, ses ministres et ses putains. Le retour à une humanité ordinaire. Un hymne, un drapeau, des ambassades, des représentants — l'engrenage de l'Histoire. En sanglots — par morceaux — à la dérive — une partie de moi sans doute rêve là-bas dans quelque kibboutz frontalier déserté par les jeunes — une autre partie de moi sans doute au côté des Palestiniens n'hésite pas à attaquer la nuit ce même kibboutz où je veille armée. Puzzle de l'Histoire auquel il manque des pièces et qu'on ne peut jamais totalement reconstituer. Désormais le temps de l'ailleurs, de l'entre-trois langues, de l'entre-deux alphabets, de l'entre-deux mers, de l'entre-deux mondes, l'entre-deux logiques, l'entre-deux nostalgies. Car il y aurait de curieuses nostalgies. Son vrai pays, Kasrilevke la ville imaginaire de Sholom Aleikhem — Son monde à elle, qu'elle n'aurait pas connu, dont elle ne pourrait se défaire — ou des histoires à n'en plus finir — toujours les mêmes racontées par un vieux grand-père barbu. Les enfants, venez vite autour de la table, dit l'arrière-grand-père d'une voix cassée rallumant

la chandelle. Tous accourent, disposent les chaises, l'un
d'eux ranime le feu en déplaçant une bûche dans la cheminée, car il fait froid et les pèlerines ne sont pas très
épaisses. Le vieux va raconter une histoire, chercher dans
ses souvenirs et on oubliera le vent de Volhynie, le souffle glacé du désert blanc. En ce temps-là, commence-t-il,
il y a de cela bien longtemps, à ce qu'on dit régnait le
plus féroce tyran que la Russie ait connu. Tous frissonn-
ent. Il n'y a pas longtemps, ils ont échappé à un pogrom.
Le plus jeune a eu le crâne ouvert et on peut voir encore
la cicatrice. Y a-t-il pire que Nicolas II? Sans doute
puisque le vieil aïeul le dit. Dieu pourquoi ne te choisis-tu
pas un autre peuple. Fiche-nous un peu la paix. Juste un
peu. En ce temps-là, régnait Nicolas Ier, le tsar sanguinai-
re, le tsar militaire. Il avait, à ce qu'on dit, imaginé le ter-
rible système de la Rekruchina. Vous ne connaissez pas
la Rekruchina. Les enfants font signe que non, ouvrant de
grands yeux tristes. Je vais vous raconter la Rekruchina
dans laquelle je me suis moi-même trouvé pris. Avant, il
y a très longtemps, les Juifs ne faisaient pas de service
militaire. Ils payaient une taxe spéciale. Cela pesait lourd
sur les communautés mais enfin les Juifs n'allaient pas
dans l'armée du diable. Un jour, Nicolas Ier décide de re-
cruter les Juifs, de les envoyer à l'armée. Ces Juifs devaient avoir dix-huit ans et faire vingt-cinq ans de service. Les enfants retiennent leur souffle. Vingt-cinq ans?
Oui vingt-cinq ans. Au bout du compte, s'ils étaient encore en vie on leur donnait une terre quelque part en Asie
centrale loin du Shtetl et entre-temps ils avaient oublié
leur religion et leur langue, tant la misère, le malheur,
l'isolement avaient été grands. Les communautés juives
devaient elles-mêmes assurer la répartition des recrues au
risque de se faire sévèrement punir. Souvent, il n'y avait
pas assez de jeunes et c'étaient des enfants que l'on re-

crutait, des enfants de douze ans, de huit ans. Nous habitions un Shtetl voisin de Jitomir à quelques verstes d'ici. Je devais avoir — voyons — il cherche dans sa mémoire, dans un effort qui semble douloureux — voyons dix ans — j'étais petit. Souffreteux et ma mère n'avait que moi. Je fus pris par une bande de rabatteurs alors que j'étais dans la forêt à la recherche de bois mort pour le chauffage. Je ne me souviens plus très bien. On me mit un manteau gris beaucoup trop grand pour moi et je me trouvai à marcher en rang avec une cinquantaine de garçons de mon espèce. Nous avions froid, nous étions fatigués. Nos maîtres étaient hostiles, hurlaient tout le temps. On nous menaçait, nous engageant à nous convertir à la religion orthodoxe, on nous ridiculisait. J'étais bien décidé à m'enfuir à la première occasion. J'en voulais aux autorités du Shtetl qui laissaient enrôler les pauvres.

Je me souviens d'une chanson. Plus tard beaucoup plus tard.

> Ils sont arrachés à l'école
> On leur met une pèlerine grise
> Et nos conseillers, nos rabbins.

> Mr Rochover le riche a sept enfants
> Pas un ne revêt l'uniforme
> La pauvre veuve Leach n'a qu'un gosse
> Ils l'ont pourchassé comme une bête sauvage.

> Est-il juste de recruter parmi la pauvre masse?
> Cordonniers et tailleurs, ils n'ont que leur pauvre
>   cul
> Mais les enfants du riche délicat
> Peuvent poursuivre. Il ne leur manque rien.

Oui, je devais avoir dix ans. Nous marchions des jours et des jours, les lèvres bleues, le regard triste, abrutis, à peine pouvions-nous nous parler. On traversa la Volhynie, l'Ukraine. Arrivé en Crimée, la moitié du contingent était mort. Je fus moi-même très malade. Je désespérais. Ne voyant de salut ni dans la fuite — j'étais trop faible pour aller bien loin — ni dans la conversion forcée, car j'avais entendu dire que certains garçons qui avaient renié leur foi avaient par la suite été massacrés on ne savait pas au juste par qui.

Je réussis malgré tout un jour à m'échapper dans les montagnes de Crimée. Les enfants ouvrent de grands yeux fiévreux. Je devins bûcheron dans un village perdu de Tauride. Je pensais souvent le soir à mes tristes compagnons et ma mère là-bas en Volhynie. Je revoyais la maison de bois aux fenêtres hautes, aux volets de bois peints. Les ciels de Crimée d'un bleu intense ne parvenaient pas à me faire oublier les grands nuages de la plaine aux champs de coquelicots à perte de vue. Ma Volhynie terreuse et sombre — j'avais mal — je voulais tuer le tsar. Très longtemps après, je revins au Shtetl comme colporteur. Ma mère était morte depuis de longues années. Peu de gens me reconnurent. Je partis à nouveau sur les routes. Je ne devins plus jamais cantonniste. Les enfants, n'oubliez pas le vieux cantonniste.

Cette nostalgie reviendrait aussi par poèmes, bribes d'histoires, proverbes, bons mots mais avec quelque chose de mort dans la couleur du faux souvenir. Entretenir les reliques ? Culte des morts ? Après le déluge ? « Le déluge dura quarante jours sur la terre. Les eaux s'accrûrent et soulevèrent l'Arche qui s'éleva sur la terre et l'Arche allait sur la surface des eaux. Les eaux grandirent beaucoup, beaucoup, au-dessus de la terre et toutes les hautes montagnes qui existent sous les cieux furent recouvertes. Les eaux avaient grandi de quinze coudées de haut et les montagnes avaient été recouvertes. Alors expira toute chair qui remue sur la terre : oiseaux, bestiaux, animaux, toute la population qui pullulait sur la terre, ainsi que tous les hommes. Tout ce qui avait eu des narines, une haleine d'esprit de vie, parmi tout ce qui existait sur la terre ferme, tout mourut. Aussi furent supprimés tous les êtres qui se trouvaient à la surface du sol depuis les hommes jusqu'aux bestiaux, jusqu'aux reptiles et jusqu'aux oiseaux des cieux. Ils furent supprimés de la terre, il ne resta que Noé et ceux qui étaient avec lui dans l'Arche. Et les eaux grandirent au-dessus de la terre durant cent cinquante jours. » Mais Dieu se trompe dans sa comptabilité. Du 15 novembre 1940, date à laquelle le ghetto de Varsovie a été fermé, jusqu'à la fin de 1943 près de mille jours se sont écoulés — mille jours d'agonie — et quel Noé à survivre ?

APRÈS GRENELLE — JE NE SAIS PLUS
LA LIGNE   SE   PERD

                        DANS MA MÉMOIRE

        Les Juifs
        doivent
        prendre
         le
        dernier
        wagon.

Il faisait beau ce 16 juillet 1942
        autour de la rue du DR FINLAY
            de la rue NOCARD
            de la rue NELATON

AUTOUR DE GRENELLE.   XVe arrondissement.
     WURDEN   VERGAST

L'opération s'appelait
                VENT PRINTANIER

SA MÈRE — JAMAIS REVENUE
ELLE PLUS TARD EN AMÉRIQUE

WURDEN   VERGAST
Du côté de GRENELLE
GUEDALI   QUI S'EN SOUVIENT ?

❑

Ils passeraient leurs week-ends, en toutes saisons à
se promener dans la ville, dans les quartiers limitrophes,
rêvant d'acheter une maison à Hampstead, à N.D.G., à
Westmount. Ce ne seraient que des extases, des émer-
veillements, des hurlements de joie, d'envie, se terminant
invariablement en imprécations. « Tous ces cons dans de
belles maisons — pourquoi pas nous ? » Façades en terras-
ses, bay-windows, pignons, toits édouardiens, décroche-
ments, détails sculptés. Rien ne serait laissé au hasard. Ils
verraient tout. Avidement, goulûment. Ils arpenteraient invariablement les hauts de Westmount et Côte-Saint-Antoine, reviendraient par Grosvenor et Circle Road — aigris
— ils jetteraient leur dévolu suivant l'humeur sur différents types de demeures. Tantôt ce serait la maison Hurtu-
bise du début du XVe siècle sur Côte-Saint-Antoine —
maison de bois surélevée à cause de la neige avec une belle galerie et des mansardes, de hautes cheminées, tout en-
tourée d'un boisé et accompagnée d'une vieille grange.
Elle aurait immédiatement imaginé comment il faudrait
distribuer ces grandes pièces aux boiseries élégantes
fixées à l'aide de clous forgés à la main, quels meubles
conviendraient aux poutres de cèdre non équarries. Tantôt,
devenus misanthropes, ils rêveraient de s'isoler — mais
en pleine ville — et la maison du 474 Mount Pleasant
conviendrait parfaitement à ce désir de fausse évasion.
Érigée sur la pente de la montagne, de style américain,
tout en bardeaux, cachée dans les arbres, spacieuse,
confortable et rustique à la fois. Tantôt encore, c'est une
maison du genre « Queen Anne » sur l'avenue Elm qui les

mettrait en joie avec ses pierres roses, sa façade égyptienne, avec sa base trapézoïdale, sa tour octogonale genre croisade, ses fenêtres et son porche décorés, sa ferronnerie travaillée le long des marches du perron. Oui, avenue Elm, tout près d'Atwater, du métro, du centre. Ils rêveraient, feraient des plans « nous nous installerons à l'étage, le rez-de-chaussée doit être un salon ». Il acquiescerait, heureux de la voir aussi puérile, irréaliste. Lui qui aurait vécu dans le Upper Broadway, dans un bouge infâme en face de Columbia aurait bien du mal à s'imaginer propriétaire à « Elm avenue, Westmount ». D'autres fois, ce serait la maison de briques peintes en blanc et gris, comme en Nouvelle-Angleterre, à l'angle de Grosvenor et de Westmount avenue. Une bonne exposition, le calme, l'opulence. Un jour, n'y tenant plus, ils auraient fait le tour des agences qui font visiter les maisons à vendre :

A.E. LE PAGE
ROYAL TRUST
MONTREAL TRUST
FRANK NORMAN
LE PERMANENT

Au retour d'un de leur brunch du Snowdon Delicatessen, il aurait ouvert *The Gazette* et en riant, lui aurait dit : Écoute, des maisons pour nous. Upper Westmount — First advertisement — Centrally air conditioned — 3 plus 1 bedroom, 4 ½ bathrooms, 3 log burning fireplaces. Lovely pine panelled playroom. 2 cars garage. Nice patio and garden — super condition — Near Devon Park MLS 164 500 $ tel, etc.

Upper Westmount 9 Summit circle — modern 5 bedrooms, 4 ½ bathrooms, centrally air conditioned — double garage — very bright with lovely views, MLS 265 000 $.

Another one. Private sale. Elegant detached residence facing beautiful park — near private schools — beautiful oak woodwork and floors. Ideal for entertraining — 3 fireplaces, 3 bathrooms, 2 powder rooms, modern kitchen, 6 bedrooms, den on main floor : 235 000 $.

Enfin la dernière, car le fou rire les prendrait avant que le journal soit intégralement dépouillé.

Classic stone residence — 12 rooms — separate living-dining rooms, private master bedroom suite with adjoining full bath. Charming modern kitchen — double garage : 300 000 $ tel…

Ils auraient appelé une de ces agences, auraient mis leurs plus beaux vêtements. Pour une fois, il aurait abandonné son éternel jean et se serait fait égaliser les cheveux ; elle se serait maquillée. On les aurait pris au sérieux. Un jeune couple sympathique, aisé, sans complexes, cherchant à s'installer solidement. Ils auraient passé la journée à visiter des intérieurs avec des salons profonds, de grandes cheminées fleurant bon l'écorce de bouleau, des tentures africaines, des tableaux, des salles de bains sorties des films d'Hollywood, des moquettes épaisses comme de la mousse. Fatigués par tout ce luxe inaccessible, (elle aurait calculé que toutes leurs économies sur deux ans leur permettraient d'obtenir tout juste le quart d'une salle de bains) ils auraient fait savoir en fin de journée à l'un des préposés qu'il leur faudrait encore réfléchir, consulter parents et amis. Il aurait pris pour dire cela un accent universitaire anglais, très distingué. Les autres n'y auraient vu que du feu. Ils seraient allés se consoler de tout cet irréel dans un troquet espagnol où les aurait rejoints leur vieil ami d'origine viennoise. Ils auraient commandé une sangria et une paella aux crevettes.
— Et d'abord, ce genre de vie ce n'est pas pour nous. Nous sommes des petits-bourgeois — nous risquons de

devenir imbuvables. Une maison — pantouflards — on arroserait nos plantes et on ne penserait plus à rien — plus de militantisme — Elle se serait allumé une gauloise, aurait haussé les épaules. Pour ce qu'on peut militer ici ! Il lui aurait répondu un peu sèchement.

    — Mais il y a énormément à faire ici. Si tu veux militer. Et le RCM, les mouvements de femmes, et les mouvements communautaires divers, et la Commission des droits de la personne, et les syndicats. Enfin, quoi il y a la CSN, c'est différent de G. Meany, non ? Il y a l'ACADER, toi qui bouffes du curé; il y a tous les mouvements d'immigrants, il y a des communistes, il y a des Maos, il y a même des Trots, il y a les Gay, il y a des sociétés d'écrivains. Il y a même le P.Q. Enfin tout. Et tu serais la bienvenue. Elle n'aurait rien dit, honteuse de son trop visible europocentrisme, de son eurocommunisme, de cette impossibilité par moments à sortir des cadres étroits de sa culture parisienne. Un silence entre eux trois, à ce moment-là. L'ami viennois l'aurait rompu en commandant deux nouvelles pintes de sangria. Chacun y serait allé de son couplet, de sa nostalgie réelle ou imaginaire, spontanée ou longuement policée. Ils auraient fait ainsi le tour des villes d'Europe.

    — Je connais à Venise un bordel extraordinaire — Ah, Venise, les coupoles de la Salute — la ville s'enfonce lentement comme nous dans un rêve de vase.

    — Moi, je connais à Budapest sur la colline, un restaurant ignoré des touristes où l'on boit un de ces Badascony — vous m'en direz tant — Ah, Budapest — Le Danube, le Pont des Chaînes — l'île Marguerite !

    — Et moi, à Prague dans Malastrana, une auberge sur une petite place triangulaire avec un vieux puits et un tilleul, là où Apollinaire a vécu, je crois, avec de vieilles poutres, une grande cheminée et des bouquets de fleurs toujours fraîchement coupées, des tables sentant bon

l'encaustique. Ah, Prague aux doigts de roses, la ville dorée, la ville baroque — Garçon encore un peu de sangria !

    — Tout ça ne vaut pas Vienne — autour de la Hof-
burg, le salon de thé favori de François Joseph où l'on
mange le meilleur stroudle du monde. Ah, Vienne, ses lilas — ses parfums et la maison de Freud ! Et la soirée aurait coulé comme la sangria et le sang dans leurs veines.
— Exilés — étrangers — toujours ailleurs — En passant
par Berlin — Ils auraient évoqué les larmes aux yeux un
Berlin imaginaire, Valentin, les cabarets, Brecht, les ex-
pressionnistes, et la crise et les Spartakistes. Berlin avant
la montée du fascisme. Ah, Berlin du côté de l'Alexanderplatz — Ah, Rosa — une maison à Berlin, à Vienne, à
Prague, à Budapest, à Venise.

    — C'est fini les rêves de maisons aurait-elle dit,
déjà à demi grise. Même si les Anglais s'en vont, même
si le prix des maisons baisse; nous n'aurons jamais de
maison à moins de gagner à la loterie olympique.

    Et ils auraient ri, heureux d'être ensemble, de
pouvoir évoquer tous ces noms d'Europe centrale, heureux d'être juifs aussi en quelque sorte. Elle se serait mise
à chanter. *Ich bin von Kopf bis Fuss auf Liebe eingestellt*
la chanson de Marlène Dietrich dans le *Blauen Engel*,
tous les trois auraient repris le refrain savourant leur complicité. Elle aurait rompu ce bien-être :

    — Vous savez à quoi nous ressemblons, aurait-elle
dit. À la fin de *L'Éducation sentimentale* de Flaubert,
Frédéric Moreau retrouve un ami d'adolescence. Ils évo-
quent les moments de leur jeunesse, des joies, des peines
partagées. Ils se souviennent de s'être rencontrés dans un
bordel, il y a bien longtemps et Frédéric dit à son ami :

    — Je crois que c'est ce que nous avons connu de
meilleur. Oui, reprend l'ami. Je crois que c'est ce que
nous avons eu de meilleur.

Nous sommes ainsi. Et puis nous déconnons sur l'Europe centrale. L'entre-deux-guerres. Oui. Et tout ça débouche sur Auschwitz, vous savez bien.

Mais, dit l'ami viennois, à la fin d'un de ses livres citant l'Écriture, Freud ne dit-il pas qu'il n'est pas interdit de boiter ?

You don't need to be jewish to love Cantor's bagels
ville schizophrène

Vous n'avez pas besoin d'être québécois pour ai-mer Gilles Vigneault, les raquettes et la tourtière du Lac-Saint-Jean.

Les mots tronqués
les mots traversés
les mots scindés

les mots de par-delà, de l'outre-mémoire, les mots du manque. Vous n'avez pas besoin. Les mots n'ont pas d'ombre, pas de halo, pas d'auréole. Des mots de Chirico ou de Delvaux, des mots de Magritte. Au ras des mots.

Il y avait autrefois des pays de lavande, des étés, des ciels violets, des nuits chaudes.

You don't need   pas besoin

l'errance est insituable comme cette voix de la Bible qui n'est ni celle de Dieu, ni celle de Moïse. Une voix inassignable, sans nom et sans écho.

Il était une fois à New York dans un chock full o'nuts pouilleux dans le Upper Broadway, juste en face de Columbia un linguiste fou, ou un fou linguiste, un journal grec à la main, un dictionnaire allemand-italien de l'autre, parlant en anglais à qui voulait bien lui servir de public. Dites-moi d'après vous « spaghetti » cela vient-il de l'italien ou du chinois ? — parlant inlassablement.

Et plus loin, un clochard ayant trouvé dans une poubelle de la 110e rue un vieil enregistreur de cassettes marchant à piles et s'efforçant de le faire fonctionner, parlant tout seul, riant, pleurant tout seul dans la misère new-yorkaise d'une fin de décembre encore douce entre deux assassinats dans le Morning Side Park et les joggeurs insouciants de Riverside, dans l'odeur des bagels et du special breakfast à un dollar. Les frontières ne se traversent pas. On les passe. Elles n'ont aucune transparence. Ce sont des pièges. On y tombe avec armes et bagages. De l'autre côté des frontières les mots n'ont plus la même couleur. Tu as toujours habité au-delà des frontières, un langage, un langage du long des routes de l'Europe centrale là où les coquelicots, l'ancolie et les champignons de l'automne parlaient yiddish autrefois, là où les nuages se violonnent encore des soirs reprisés au fond des arrière-cours de Varsovie ou de Vilna. Une trace de Shtetl, à Montréal, à New York, à peine perceptible. L'Amérique clignote, borgne, lépreuse

Fish and chips
Donuts
Steak House
McDonald
Coffee House
Howard Johnson
Hamburger-cheeseburger-steerburger
Club sandwich
Hot dogs
Coke — pepsi — seven up
Kentucky fried chicken
Hilton
Sheraton
Holiday Inn

J'irai, de la cendre sur la tête, pour tout habit un sac, munie du livre de Job, j'irai pleurer le grand deuil du ghetto perdu.

Ville schizophrène
             clivée
             déchirée

Prendre le 24 du début à la fin, le long de Sherbrooke cette rue-fleuve, cette rue caméléon, cette rue jungle. D'abord les boutiques de N.D.G., les magasins, les maisons basses avec des enseignes, il y a peu de temps encore tout en anglais, des devantures bazars. Les coupent perpendiculairement des rues coquettes, résidentielles aux pavillons de briques. Le mouvement s'anime vers l'est, après Décarie; magasins plus cossus, maisons hautes, banques. C'est le Sherbrooke des fleuristes, de Murray, de Clément: ses homards et tartes aux pommes. Puis le Sherbrooke de Westmount, sur des kilomètres jusqu'à Atwater; maisons spacieuses de pierres ou de briques, à encorbellements, à pignons, demeures victoriennes avec de grands jardins qu'on devine; parcs, avenues proprettes, espaces riants pleins de joggeurs et d'enfants. La rue s'anime à nouveau vers Greene, se coupe à nouveau de parcs, de jardins, d'immeubles résidentiels victoriens ou édouardiens et vient mourir provisoirement à Côte-des-Neiges. La rue se transforme de Côte-des-Neiges à Saint-Laurent, se muant en centre-ville, en rue banque, en rue magasins de luxe, restaurant, grands hôtels, gratte-ciel, tours et galeries, un Sherbrooke opéra, un Sherbrooke Saint-Honoré tout à la fois. Celui des riches qui vont magasiner à Holt Renfrew, qui habitent « Le château », qui mangent au Ritz-Carlton, celui des « professionnels » qui déjeunent rue de la Montagne, celui des étudiants de McGill qui traversent le campus à la hauteur de McTavish. Un Sherbrooke

Bourse, un Sherbrooke grands boulevards. S'effilochent
ensuite les tours qui font place à des maisonnettes, à des
restaurants plus snobs à l'approche de la rue Saint-Denis
— le quartier latin d'ici — et de la rue Saint-Hubert. Plus
loin vers l'est, le tissu se déchire. Le Sherbrooke des pauvres de la mélasse, du bas de la ville, du pétrole, des usines. Le Sherbrooke où l'on ne va jamais, où l'on ne parle
que le français, le Sherbrooke triste, où la neige est grise
même après la tempête, où les pensées sont grises comme
la vie. Un Sherbrooke dépotoir, laissé-pour-compte, qui
ne compte pas. La même rue sur près de soixante milles,
deux ou trois univers où tu n'as pas de place. L'errance a
mille visages où tu ne te reconnais pas.

> Ville schizophrène
> patchwork linguistique
> bouillie ethnique, pleine de grumeaux
> purée de cultures disloquées
>> folklorisées
>> figées
>> pizza
>> souvlaki
>> paella

L'Italie est loin, la Grèce est loin. L'Espagne est
loin. Tout est pris dans la graisse, l'huile, la margarine
américaine — vous assaisonnez vos salades avec le Kraft
dressing sucré — L'oubli commence par le goût des ali-
ments, après la couleur du ciel, le son des voix, l'odeur
des rues. Qui se souvient de la piazza Navona, des ram-
blas de Barcelone, des ruelles d'Athènes ? Qui se souvient du ghetto de Varsovie ? Et d'avant le ghetto de Varsovie ? D'avant le temps, d'avant l'Histoire ? LOVE IT
OR MAPLE LEAVE IT — étrangers indésirables, tous
communistes, tous subversifs, tous révolutionnaires.

Révolus et stationnaires

Réduits au silence, à l'errance, à la perte de leur Histoire, de leur mémoire, enfermés dans le mythe. Noter toutes les différences, en particulier les résultats de hockey de la ligue nationale car le Canadien se reprend et gagnera sans doute à nouveau la coupe Stanley.
Le Devoir, Jeudi 17 janvier 1980.

LIGUE NATIONALE

Mardi
Islanders NY 5, Winnipeg 2
Philadelphie 7, Washington 4
St. Louis 2, Minnesota 1

Hier
Montréal à Chicago
Boston à Québec
Winnipeg à Rangers NY
Atlanta à Vancouver
Edmonton à Washington
Toronto à Pittsburg
Colorado à Detroit
Buffalo à Los Angeles
St. Louis au Minnesota

Aujourd'hui
Toronto à Islanders NY
Chicago à Philadelphie
Atlanta au Colorado
Pittsburg à Hartford
Edmonton à Boston

Vendredi
Detroit à Winnipeg
Buffalo à Vancouver

Les meneurs
(parties d'hier
non comprises)

	b	p	pts
Dionne, LA	36	54	90
Lafleur, Mtl	32	46	78
Taylor, LA	30	42	74
Simmer, LA	36	33	69
Trottier, NYI	26	34	60
Gretzky, Edm	22	38	60
Federko, Sl.	17	39	56
Perreault, Buff.	24	31	55
Larouche, Mtl	29	23	52
Gare, Buff.	28	22	50

LIGUE MAJEURE
DU QUÉBEC

Mardi
Montréal 6, Shawinigan 5
Chicoutimi 5, Québec 2
Trois-Rivières 12, Hull 2

Hier
Sherbrooke à Hull

Aujourd'hui
Trois-Rivières à Cornwall
Chicoutimi à Sorel

Vendredi
Chicoutimi à Montréal
Verdun à Shawinigan
Québec à Sherbrooke

LIGUE NATIONALE

	pj	g	p	n	bp	bc	pts
1 - PHILADELPHIE	42	28	3	11	179	129	67
2 - BUFFALO	43	28	12	3	164	118	59
3 - BOSTON	41	23	12	6	155	120	52
4 - MINNESOTA	40	21	11	8	168	121	50
5 - MONTRÉAL	44	22	16	6	164	147	50
6 - LOS ANGELES	42	20	14	8	181	161	48
7 - NY RANGERS	45	20	17	8	173	162	48
8 - CHICAGO	43	17	14	12	122	125	46
9 - PITTSBURG	42	17	14	11	146	144	45
10 - ST. LOUIS	44	18	19	7	138	143	43
11 - NY. ISLANDERS	41	18	17	6	143	134	42
12 - TORONTO	41	18	19	4	150	158	40
13 - QUÉBEC	42	17	19	6	132	145	40
14 - ATLANTA	41	16	20	5	136	147	37
15 - VANCOUVER	44	15	22	7	139	151	37
16 - DETROIT	41	14	20	7	135	141	35
17 - WINNIPEG	45	13	27	5	118	174	31
18 - HARTFORD	40	10	20	10	128	152	30
19 - EDMONTON	41	10	22	9	139	179	29
20 - COLORADO	42	12	25	5	138	165	29
21 - WASHINGTON	42	11	25	6	131	163	28

LIGUE MAJEURE DU QUÉBEC

Section Lebel

	pj	g	p	n	bp	bc	pts
CORNWALL	48	25	21	2	250	239	52
MONTRÉAL	47	23	22	2	236	261	48
HULL	47	14	26	7	214	272	35
SOREL	45	14	27	4	234	266	32
LAVAL	48	10	34	4	192	321	24
Section Dilio							
CHICOUTIMI	47	32	13	2	306	218	66
SHERBROOKE	47	29	14	4	284	210	62
TROIS-RIVIÈRES	48	26	15	7	302	215	59
QUÉBEC	47	24	19	4	228	230	52
SHAWINIGAN	48	18	24	6	210	224	42

un Québec   coke
un Québec   french fries
un Québec   avec des rôties, de la relish et du
                    ketchup
          des œufs retournés et du bacon
un Québec   carte de crédits
       American Express
       Chargex
       Master Charge
       Diner's Club
un Québec   multinationales du Pétrole
              Texaco
              Shell
              Esso
              Gulf Oil
avec parfois 100 % de profits
c'est pour votre bien à tous

et comme vous êtes assez cons pour le croire
un Porto-Rico riche et blanc
la 51ᵉ étoile du drapeau américain avec une fleur de
lys
pour supplément d'âme
     Ici on parle français
              et
     on pense américain.
     on pense Trilatérale
         sécurité nationale avec
     des crucifix dans les écoles
     pour la bonne cause
     In God we trust — nous aussi merci —
sans oublier les saints martyrs canonisés en 1930.
     On ira tous en Floride cet hiver ou à
Acapulco.
     Quelques syndicalistes en prison par-ci par-là
Ils n'avaient qu'à bien se tenir.
un Québec   Molson
un Québec   Labatt
un Québec   Pepsi
           colonie
et toi perdue au-dedans de tout ce bruit
et cette fureur
sans voix
les mots défaits
les mots oubliés
les mots déformés
les mots déplacés
les mots déportés

les mots de l'outre-espace. Ils n'ont plus de place. J'irai,
de la cendre sur la tête, pour tout habit un sac, munie du
livre de Job, j'irai pleurer le grand deuil des mots perdus.

Québécoite
Privilégiée quand même
même si on ne veut pas de toi
même si on te rappelle tous les jours que tu n'es pas d'ici
Privilégiée quand même.
Imagine.
Tu viens du Portugal. Tu as quatre enfants.
Ton mari s'est calté peu après ton arrivée.
Tu travailles dans une fabrique de vêtements
au salaire minimum. Tu es une voleuse de job.
Il n'y a pas de syndicat dans l'usine.
Tu ne sais ni l'anglais ni le français
juste quelques mots.
Tu penses à Lisbonne, à la sonorité de la langue
à la maison pauvre mais pleine de soleil
aux figuiers dans le jardin.
Tu penses aussi à Sacco et Vanzetti.
Ici aussi il va falloir se battre
et les Immigrants n'ont pas beaucoup de droits.

Et les Immigrants de chez toi, les connais-tu?
À la Goutte d'or, à Aubervilliers, à Nanterre
du temps de la guerre d'Algérie et du bidonville.
Sale nègre
Sale bicot. La France aux Français.
Entassés dans des dortoirs où l'on ne mettrait pas un
chien.
Les longues files d'attente à la préfecture de police dans
l'attente de la carte de séjour
qui peut-être ne sera pas renouvelée
les yeux terrifiés — à la recherche de la parole amicale.
Et les lois sur les immigrés quasi-fascistes, votées l'été
dernier. Oui, tous ces pays se ressemblent.

Québécoite.
Tu ne parleras pas. La voix muette, scellée. Regarde les
grands soirs roses sur les bouleaux, les érables et les sapins. Compte les étoiles au petit matin. Abreuve-toi à
cette lumière nette, cristalline, bleue, au silence des nuits
lames de couteaux. Love-toi dans l'attente, la patience la
Rossinante de l'Histoire galopera à nouveau pour toi. Tu
ne parleras pas. Petite, humble, cassée, la parole immigrante, écorce de bouleau et samovar, comme une ber-
ceuse lointaine à la fois plaintive et tenace, envahissante
et monotone, lancinante, têtue. Elle déraille, déroute, dé-
tone.
Elle perd la boule, le nord.
Elle perd ses mots.
          Mémoire fêlée
          Mémoire fendue
les articulations sont foutues.
Il n'y aura pas de récit
pas de début, pas de milieu, pas de fin
pas d'histoire.
Entre Elle, je et tu confondus
pas d'ordre.
Ni chronologique, ni logique, ni logis.

La France aussi
une colonie.
La France des petites places des vieux quartiers.
Des coins de rues aujourd'hui disparus
de l'apéro, du pastis, et du calva sur le zinc.
Aujourd'hui
          Carrefour
          Mammouth écrase les prix
          Europe 1 c'est naturel
          Mettez un tigre dans votre moteur

la France des hauts de Belleville
Le Paris des appartements à
      285 000 F: 50m^2 charmant 2 pièces
      2 300 000 F: magnifique appartement de 180 m^2
dans l'île Saint-Louis
      375 000 F beau deux-pièces dans le XIVe.
La France paumée
        assassinée
avec des graffiti antisémites sur les murs du métro.
Pleure pas tout est fini
ville schizophrène
        sans feu
        ni lieu
Espace nomade.

     Les lettres s'accolent, caracolent, s'envolent, se scindent, se regroupent, se chiffrent. Culture de la lettre. Comme des feuilles d'automne envolées, accumulées, pourrissantes, abandonnées. Sur les toits pentus des gros villages de Galicie, la lune dessine encore des א, des ב, des ג, des ד dans les jardins d'Ukraine, les tiges des tournesols dessinent encore des ש, des ק, des ך, mais plus personne pour les déchiffrer, pour en saisir la signification, la saveur, les sortilèges. Lettres obligatoires, interdites, lettres ornées des parchemins de la Thora, écrites à la main. Lettres sacrées. Toute une sagesse cachée ne s'y révèle plus.

     Comment se seraient-ils séparés? Comment terminer cette histoire qui n'en est pas une? Je ne sais. Un jour elle aurait décidé de partir. Mime Yente n'aurait même pas essayé de la retenir. Elle aurait pris un 747 Air France. Départ de Mirabel à 20 h 45. Les livres suivraient en fret aérien et certains meubles en container par bateau. Elle se serait retrouvée rue de la Mare à Paris, dans le

vieux quartier de son enfance, le regard plein d'étoiles
nouvelles. Elle aurait tenté à nouveau de tout recommencer. Elle aurait repris le métro. Ligne 10, gare d'Orléans
— Austerlitz — Porte d'Auteuil, sans jamais s'égarer au-
delà de Grenelle, rêvant à des neiges lointaines, à de
grands ciels bas, au Saint-Laurent pris par les glaces, à
cette qualité de la lumière qu'elle ne retrouverait plus jamais, à Mime Yente et à son bonheur perdu.
Y aurait-il à nouveau des pays de lavande, des étés, des
ciels violets, des nuits chaudes ? Rien ne serait plus jamais comme avant. La France aurait changé.

> Pas d'ordre — ni chronologique, ni logique,
> ni logis
> les articulations sont foutues.
> Il n'y aura pas de messie.
> Il n'y aura pas de récit
> tout juste une voix plurielle
>   une voix carrefour
> la parole immigrante.

II

Outremont

Un récit? Je commençai: je ne suis ni
savant, ni ignorant. J'ai connu des
joies, c'est trop peu dire. Je leur racon-
tai l'Histoire tout entière qu'ils écou-
taient me semble-t-il avec intérêt, du
moins au début. Mais la fin fut pour
nous une commune surprise. « Après ce
commencement, disaient-ils vous en
viendrez aux faits. » Comment cela! Le
récit était terminé.
Je dus reconnaître que je n'étais pas
capable de former un récit avec ces événements. J'avais perdu le sens de l'Histoire, cela arrive dans bien des maladies. Mais cette explication ne les rendit
que plus exigeants. Je remarquai alors
pour la première fois qu'ils étaient
deux, que cette entorse à la méthode
traditionnelle quoique s'expliquant par
le fait que l'un était un technicien de la
vue, l'autre un spécialiste des maladies
mentales, donnait constamment à notre
conversation le caractère d'une interrogation autoritaire surveillée et contrôlée
par une règle stricte. Ni l'un ni l'autre
certes n'était le commissaire de police.
Mais étant deux à cause de cela ils

étaient trois, et ce troisième restait fer-
mement convaincu, j'en étais sûr, qu'un
écrivain, un homme qui parle et qui
raisonne avec distinction est toujours
capable de raconter des faits dont il se
souvient. Un récit ? Non, pas de récit.
Plus jamais.

MAURICE BLANCHOT

Faudrait-il toujours Tout recommencer ?
                    Tout?
Repartir encore ?   Encore déménager ?
Une autre langue   encore ?
En exil dans sa propre langue.
Le baluchon toujours prêt
        en partance   peut-être?
Une parole immigrante presque muette
            sans ombre
            sans écho
            fêlée
une parole de l'avant-dernière halte.
Une part encore de la durée.

Ligne 6 — Nation — Étoile par Denfert — Roche-
reau-Nation — avant le RER. Les grandes manifestations
s'arrêtaient là. On montait sur la statue, la bonne
Marianne au milieu de la place. On lui fixait sur la tête et
le torse de grands drapeaux rouges. Il y avait l'école de la
rue Marsoulan et la pâtisserie où Anny achetait pour son
goûter de petits pains au lait. Picpus-Bel Air-Daumesnil.
Les lions et le bel appartement du docteur. La salle d'attente ressemblait à un décor d'opéra. Il y avait des statues
partout. Ce jour-là on mettait de beaux habits et on se
tenait bien. Bercy-Quai de la gare. Le métro traverse la
Seine. Eau glauque, péniches à quais. Il pleuvait, il
pleuvait souvent. Il pleuvait toujours. Bruit de ferrailles
des anciens métros aériens. Anny aimait le métro qui —
passe — dans — le — jour. L'autre rive. Oui, l'autre
rive. Passer la Seine ou l'Atlantique.

   Pourtant, j'avais essayé. Une autre vie, un autre
quartier, d'autres réseaux sociaux, une nouvelle aventure,
au sein de la bourgeoisie québécoise dans les hauts
d'Outremont, dans une belle maison cette fois. Pourquoi
cet amour des maisons ? Faut-il que je lui donne tous mes
traits et toutes mes passions ? A-t-elle connu la guerre,
a-t-elle passé cinq ans de sa vie à déménager presque tous
les soirs, à dormir à même le sol, enroulée dans une
couverture, la respiration haletante dans l'attente de
la mort aux mots allemands, aux cris allemands.
Aufmachen! Rauss! Schnell! Une maison avec un

escalier de pin ancien comme l'illusion de l'enracinement.

LA PORTE REFERMÉE, UN PAYS,

à soi quelque part. Pas étranger. Un lieu — un lieu —
Heim une maison-lit, indistincte dans une rue ombragée
sur laquelle on ne viendrait plus jamais mettre des croix
blanches, des marques ou des scellés. Une maison pour
mourir de mort naturelle de vieillesse ou de maladie. Elle
doit bien partager quelque chose de ce passé. Elle doit
bien vivre aussi de ce même effroi.

La maison de pierre n'aurait qu'un étage à bay-
window avec sur la façade un œil-de-bœuf à vitrail d'un
mauve délicat. On y entrerait par trois marches formant
perron. Puis ce serait un hall ovale à marqueterie ouvrant
sur le salon du côté de la rue, sur la salle à manger et la
cuisine du côté du jardin plein de lilas à la belle saison.
Un escalier de pin ancien entièrement décapé monterait
au premier découvrant un autre espace ovale ensoleillé
par un puits de lumière, les chambres et la salle de bains
où la lumière des lilas au printemps lancerait sur les murs
ses doigts violets.

On aurait installé le piano — un beau Pleyel dans le
hall en face de l'entrée. Le salon serait cossu avec une
moquette de laine épaisse sur laquelle on aurait posé un
tapis de Perse. Cela ferait une tache plus sombre au
centre de la pièce. Sous la fenêtre à rideaux de dentelle
dans l'encorbellement, un divan moelleux de chez Roche
Bobois, de couleur fauve; à droite un foyer taillé dans la
pierre, protégé par un grillage de ferronnerie ancienne.
Plus loin dans une huche à pain dont on aurait retiré le
dessus, une chaîne Hi-Fi de premier choix. Distribuées
sans ordre apparent des petites tables de noyer surmon-
tées de lampes art-déco et encombrées de bibelots de

cendriers chipés à *La Closerie des lilas* dans lesquels
traîneraient souvent des mégots de Gauloises. Elle n'aurait jamais accepté de changer de cigarettes. Aux murs,
des photos de famille, des lithographies, des pièces de
cuir travaillées par de lointains Amérindiens, une plaque
de rue de Paris et des miroirs. Partout des plantes vertes
et des jardinières de fleurs. Au milieu, une vieille chaise
berçante en pin juste en face du foyer. En face de ce
dernier un petit secrétaire rustique sur lequel serait posé
un des téléphones de la maison. La salle à manger plus
sobre ne contiendrait qu'une table de chêne, six chaises et
un vaisselier de pin ayant fière allure. Le lustre central
des années vingt aurait été conservé. Sur une console,
cependant, une lampe Tiffany permettrait par moment un
éclairage plus intime. Là encore un tapis façon perse
accentuerait la chaleur et l'intimité des lieux. Au mur en
face de la porte-fenêtre, une grande tapisserie faite à la
main ramenée de Gaspésie. La porte-fenêtre à rideaux
ouvrirait directement sur le grand jardin, enneigé l'hiver,
plein de rhododendrons et de roses en été. Une autre
porte-fenêtre donnant sur le jardin permettrait d'entrer
dans la cuisine communiquant avec la salle à manger —
fonctionnelle la cuisine mais avec un petit air mexicain
tant il y aurait de porcelaines à feu, de plats de faïence
traînant dans les coins. Au premier, ils auraient pris pour
chambre la grande pièce à encorbellement prolongé par
un balcon, juste au-dessus du salon. Ensoleillée le matin,
elle ressemblerait à une page de la « maison de Marie-
Claire ». Sur le lit occupant l'un des coins, on aurait jeté
une courtepointe très colorée et toutes sortes d'animaux
en peluche dont elle ne se séparerait jamais. Une descente
de lit de mouton viendrait mettre une tache sobre équi-
librant ainsi la violence contenue de la courtepointe. Près
de la fenêtre, une table basse en noyer, plus loin une

grosse commode de pin avec des tas de tiroirs à boutons blancs, des miroirs ovales à encadrement délicat et des photographies géantes représentant un coin du vieux Paris. Des guéridons en if supporteraient des statues africaines achetées aux enchères dans quelque liquidation illicite, et des fleurs. De grands bouquets dans des vases venant des Puces de Clignancourt. L'autre pièce du côté de la rue, à l'étage serait une chambre d'amis encore presque vide, tandis qu'en face, du côté du jardin, il y aurait leurs bureaux toujours bordéliques et ensoleillés l'après-midi. La salle de bains elle-même serait délicieusement aménagée avec ses multiples niches dans le mur blanc pour mettre les serviettes de toilette, les débarbouillettes et les gants de toilette, pour mettre les produits de beauté et les produits pharmaceutiques. Il y aurait aussi des niches pour de petites misères grimpantes cherchant la lumière de la fenêtre ovale. Et aussi, des niches plus larges pour mettre des livres et des journaux. Ce serait l'endroit rêvé pour consulter *Le Monde* et *Le Nouvel Observateur* — *Business Week* — *Fortune* — *Playboy* et *Penthouse*. La baignoire et le lavabo seraient anciens avec des robinets cygnes comme on en voit dans les comédies musicales américaines. Une sorte de pièce de repos, extravagante malgré tout — quelque chose d'idyllique, de champêtre pour bourgeois heureux. On accéderait au sous-sol par quelques marches donnant sur le hall ovale du rez-de-chaussée. Ils n'auraient pas fini de l'aménager. Pour le moment, il ne se composerait que de la fournaise, d'une buanderie. Le reste de l'espace serait encore encombré par un bric-à-brac inextricable — une partie de cet espace serait occupée par de grosses bûches de bouleau et de chêne réparties en tas, achevant doucement de sécher. Au moins trois cordes. Ils se pâmeraient d'aise devant la couleur de l'écorce de bouleau et la senteur âcre du bois encore humide. Le vaste jardin descendait en pente vers Côte-Sainte-Catherine. Un érable en bas de la pente. De l'ombre tout l'été.

Sur les bords, des rhododendrons, des rosiers et des massifs d'iris violets et bleus. Plus près de la maison, des lilas, plein de lilas. Il aurait fallu s'attacher les services d'un jardinier et cela coûterait les yeux de la tête, mais tout de même. Quel beau jardin ! Sur la façade de la maison donnant sur le jardin, la vigne vierge tournerait au rouge à l'automne et accompagnerait en contrepoint l'écarlate de l'érable en bas de la pente.

Chevaleret. Place d'Italie avant l'éventrement du quartier. Les petits bistrots autour de la place, l'entrée d'un magasin, la rue Bobillot où la petite allait faire de la poterie le jeudi je crois. Il y a si longtemps. L'atelier était au fond d'une cour. C'était encore le Paris des artisans. Il y avait des cours intérieures, des maisons basses aux toits biscornus. C'était avant les grandes tours et les supermarchés. Au fond de la cour il y avait un jardin avec de la menthe et de la marjolaine. On entendait les machines du tailleur à côté et un ferblantier un peu plus loin. La vie a passé depuis. Corvisart, Glacière. Il fallait descendre à la Glacière, prendre la rue du même nom jusqu'au carrefour Reille, prendre la rue de la Colonie pour arriver à la place de l'Abbé Henocque. Cette place si calme, si ombragée. C'est là qu'ils ont tué P. Goldmann — les souvenirs du Juif polonais né en France s'arrêtent là. UN JUIF POLONAIS ASSASSINÉ EN FRANCE. Tu te souviens de cette douleur violente quand tu appris la nouvelle. Autour de la Place il y a des vieilles maisonnettes bordées de jardinets. On y serait bien dans cette maison.

Je l'avais donc imaginée à Outremont épousant un avocat, ou un psychiatre, un professionnel en tous les cas devenu sous-ministre ou haut fonctionnaire, passant une grande partie de la semaine à Québec mais lui téléphonant tous les jours. Je l'avais imaginée essayant de s'intégrer à la bourgeoisie québécoise, des fleurs de lys en fer forgé partout accrochées à son balcon. On l'aurait vite élue dans quelque département de littérature ou de langue d'une université francophone. Elle donnerait des cours sur la littérature juive soviétique des années 1920-1930 et aurait consacré un long moment à ce poème de David Hofstein qui la ramenait à sa nostalgie du Shtetl son vrai pays qu'elle n'aurait jamais connu.

Quand l'hiver couvre un soir les terres de Russie
Quel vent de solitude immense sur la vie !

Un vieux cheval au loin tire un traîneau grinçant
Sous la neige un chemin dont je suis le passant

Dans le dernier recoin de ciel illuminé
Un bouquet de lueurs tristement s'est formé

Voici qu'un blanc désert s'étend à l'horizon
Au loin je vois semés quelques toits de maisons

Là-bas un hameau dort enfoui sous la neige
La maison juive où les sentiers vont en cortège

Simple maison, pourtant les fenêtres sont larges
Moi l'aîné des enfants, je revois mon village;

Voilà mon cercle étroit, petit monde tranquille
Une fois par quinzaine, on se rend à la ville

Et l'on rêve en silence à de plus vastes plaines
Pistes, routes là-bas enneigées et lointaines

Les pleurs cachés au fond des cœurs comme des
        femmes
Ou des grains attendant vainement qu'on les sème.

Quand l'hiver couvre au soir les terres de Russie
Quel vent de solitude immense sur la vie.

Et sa solitude à elle! Mais c'est trop tôt. Il me faut revenir en arrière. Cela n'aurait pas été facile d'obtenir des cours sur Babel, sur Peretz Markish, sur Hofstein, mais elle aurait finalement eu gain de cause, protégée sans doute par la conjoncture politique. Ne serait-elle pas la femme d'un haut fonctionnaire? N'aurait-elle pas les diplômes requis? On lui aurait fait le meilleur accueil. Un bon métier. Pas de difficultés d'adaptation, un bon contact comme on dit avec les étudiants et avec les collègues d'ordinaire ombrageux, des amitiés nouvelles dans le journalisme, la politique, le cinéma et l'édition. Elle passerait beaucoup de temps à se faire belle, à aimer son corps, à se sentir bien dans sa peau. Elle irait à la piscine deux fois par semaine et s'entendrait très bien avec sa masseuse à laquelle elle laisserait toujours un très gros pourboire. Je lui avais donné des activités sociales mais pas trop extrêmes. Les droits de la personne ou l'aide juridique ou encore des mouvements féministes plutôt modérés dans leur ton et leurs revendications. Rien de subversif du côté de sa maison sise Côte-Sainte-Catherine. Quelque chose d'humaniste, de bien accepté, d'encouragé même. Peut-être même aurait-elle dirigé une section locale de l'Acader, militant pour la déconfessionnalisation de l'école car elle ne pourrait accepter les restes de bondieuseries que la Révolution tranquille avait oubliés de balayer. Ces restes se seraient avérés solides, plus coriaces qu'il n'y paraissait. Allons bon. Comment l'imaginer dans des activités social-démocrates, elle, la rouge, un canif eurocommuniste entre les dents? En attendant mieux sans doute, désemparée, fatiguée, découragée. Toute à sa vie nouvelle, à sa belle maison, à son beau jardin. En attendant quel Godot de la Révolution? Une Emma Bovary de la politique en somme. En attendant, en attendant, une gauche, une

vraie ? Il aurait fallu calmer Mime Yente qui n'aurait pas
vu d'un très bon œil cette alliance avec un Goy et qui,
depuis le 15 novembre 1976, grande lectrice de *Commentary*, s'imaginerait toujours à la veille d'un pogrom;
Mime Yente aurait tenu à garder Bilou lequel tournerait à
la mélancolie, sevré de musique désormais. Elle n'oublierait jamais de leur rendre visite à Snowdon, une à deux
fois la semaine. Elle s'installerait au piano. Bilou viendrait immédiatement en haut sur les partitions, se mettrait
en boule, à droite du métronome et ronronnerait de
bonheur. Elle apporterait toujours un cadeau à Mime
Yente. Cette dernière se serait mise à la pipe et empesterait toute la maison avec de l'amsterdamer. On prendrait
le thé. Le vieux samovar de Jitomir, serait toujours fidèle
au rendez-vous, et Mime Yente anxieuse demanderait:

— Nu, qu'y a-t-il de neuf ?

Il faudrait toujours la rassurer.

Saint-Jacques, tout près de la Santé. C'est là que
Michèle habitait en face de la prison. Lorsqu'elle jouait
du piano, ils applaudissaient. Le soir de Noël, ils frappaient sur les casseroles avec grand fracas. Elle s'était
habituée à ce tintamarre tragique une fois l'an. Sous la
rampe du métro aérien, la petite vieille apportait des
cacahuètes à des milliers de pigeons.

On irait l'été à Paris. Ils auraient fini par acheter le
deux-pièces de la rue Mouffetard et cela leur ferait un
pied-à-terre à Paris. Elle partirait la première de bonne
heure, dès les cours finis. Il viendrait la rejoindre dès que
ses activités au ministère l'y autoriseraient. L'hiver, ce
serait San Juan de Porto Rico ou les Barbades après la
visite traditionnelle à ses beaux-parents en Gaspésie à
Noël. On mangerait de la tourtière — bien meilleure que
celle du lac Saint-Jean — on ferait de grandes balades en

raquettes dans la neige — tout le monde serait content. Il lui aurait fallu faire oublier sa trop visible « francité », son accent où percerait sans qu'il y paraisse un je-ne-sais-quoi d'impérialisme culturel, ses années de Sorbonne, d'École normale supérieure, ses années de *cursus honorum* un peu trop parfait, faire oublier toutes ses parisianités. D'ordinaire, elle y arriverait facilement toute à la découverte de ce nouvel horizon. Son mari serait donc haut fonctionnaire et passerait une grande partie de la semaine à Québec. Elle l'aurait rencontré dans un party chez des amis à Outremont précisément, dans une maison très semblable à celle qui deviendrait la sienne, entre deux petits fours et deux verres de vin. Ils auraient parlé de l'air du temps, d'abord des banalités :

— Vous êtes française, à ce que j'entends, vous plaisez-vous chez nous ? Et l'hiver ? Paris ne vous manque-t-il pas ? Elle l'aurait interrogé sur son métier, sur la psychiatrie américaine, sur la psychanalyse, cette peste que Freud avait cru apporter au nouveau monde et qu'on avait bien vite transformée en béquille et en valium.

Ce soir-là, ils n'auraient pas beaucoup parlé. Elle n'aurait même pas remarqué qu'il lui avait demandé son adresse et son numéro de téléphone. Quelques jours après, il lui aurait téléphoné pour l'inviter à dîner. Intriguée, elle aurait accepté comme ça, machinalement. Il l'aurait amenée aux Halles sur la rue Crescent. Elle se serait follement amusée à voir cette France d'opérette mi-René Clair, mi-comédie américaine. Elle l'aurait trouvé beau, se serait moqué de lui, de sa tenue cravatée, solennelle, de son accent aussi. Il aurait ri. Lui aurait parlé de lui longuement, se sentant en confiance. Il aurait fait des études au collège Stanislas, puis sa médecine à l'Université de Montréal parachevant sa spécialité aux États-Unis. Son père, petit industriel de Trois-Rivières serait mort récemment laissant une veuve et quatre fils. Elle serait retournée en Gaspésie après la mort de son mari. Il serait l'aîné. Il aurait perdu la foi — comme tout le monde ici — juste avant la Révolution tranquille mais la vieille mère continuerait à prier Dieu et aurait fait la moue devant cette Juive française flanquée d'une vieille tante ne parlant que yiddish et anglais — un comble ! Mais finalement cela ne se serait pas trop mal passé. Les temps auraient changé : chacun aurait fait sa paix avec l'altérité. Vaille que vaille. Il aurait commencé à faire de la politique au temps du R.I.N. soutenant la gauche du mouvement et aurait appuyé le Parti québécois dès sa naissance. Il y aurait même adhéré par la suite rêvant d'un Québec indépendant. Il lui aurait raconté comment il se serait trouvé sur la place de l'hôtel de ville lorsque De Gaulle prononça son fameux « Vive le Québec libre ». Comment avec des milliers d'autres il en aurait été chaviré, transporté. Au soir du 15 novembre, on n'aurait pas dessoûlé de la nuit. Joyeux, heureux — ayant retrouvé une dignité longtemps contenue, brimée. Elle aurait partagé cette joie profonde, ce bonheur neuf, collectif, communicatif, tonique. Ce sentiment d'exister enfin d'appartenir à une longue filiation de luttes. Ils auraient parlé ainsi longtemps, se sentant bien. Le repas serait délicieux et c'est ainsi qu'entre la poire belle-Hélène et le champagne, ils auraient décidé de ne plus se quitter.

Denfert-Rochereau. Le gros lion et l'immense carrefour. C'était surtout le changement pour atteindre la ligne de Sceaux, car en ce temps-là, il n'y avait pas de RER et pour rejoindre Fontenay-aux-Roses, il fallait prendre le métro à Luxembourg ou changer à Denfert. Long quai gris, baraque où l'on achetait *Le Monde* et des bonbons, couloirs assez longs pleins de monde avec sur les murs des publicités idiotes. Persil lave plus blanc. (On

n'avait pas encore inventé la mère Denis) ou Ya bon
banania. En été, après la pluie, il faisait bon se promener
dans l'odeur des feuilles mouillées, rue Froideveaux.

Raspail. Il habitait rue Campagne première, une de
ces belles maisons bourgeoises, cossues du siècle dernier.
Son père était auditeur à la Cour des comptes et lui-même
ne savait pas encore s'il choisirait le conservatoire ou une
grande carrière administrative. Tu arrivais tôt le samedi
matin. Il était encore au lit. Il t'attendait lisant *Le Monde*
de la veille ou *Le Nouvel Observateur*. Je ne sais plus si
c'était *Le Nouvel Observateur* ou l'ancien *France Obser-*
vateur. C'est si loin. Tu te glissais dans le lit près de lui.
Il y avait dans la chambre une lumière de lilas printaniers.
À l'approche de la station Raspail ton cœur battait. Tu
n'avais que dix-huit ans. Longtemps après, conduisant la
petite au centre américain, tu te souvenais encore de tes
émotions associées à ce nom Raspail, et plus tard
professeur d'histoire au lycée, tu ne pouvais jamais parler
de ce vieux républicain sans un trébuchement dans la
voix. On a dû croire que tu prenais ton métier très au
sérieux. Raspail. Tu ne te souviens vraiment que de la
lumière lilas à cause de la couleur des rideaux.

La vie s'écoulerait paisible, aisée. Il y aurait des
roses dans de grands vases de poterie rare et un grand
piano à l'entrée du hall ovale. Elle resterait des heures à
son piano jouant de vieux airs hongrois qu'elle aurait
rapportés de lointains voyages à Budapest — autrefois —
par moments la nostalgie des lointains. Non pas de Paris,
non. De grandes capitales aux langues rauques quasi
incompréhensibles, d'ailleurs indéchiffrables, de longues
avenues à se perdre et sans pouvoir demander son chemin. Budapest et le Danube. Les amoureux dans l'île
Marguerite à la fin de l'automne. Une cafétéria en face du
Pont des Chaînes et Janos qui savait si bien dire des

poèmes de Heine. Ce serait loin très loin. Elle aimerait par-dessus tout marcher dans son quartier, au hasard, par tous les temps. Ce serait toujours la même émotion, le même bien-être. En hiver surtout, dans ces soirées sans vent juste après une tempête de neige, un ciel très clair. Tout est silence. Les branches ploient ciselées. Le monde se rétrécit. Les maisons de pierre ou de brique brillent de leurs fenêtres éclairées. On voit dans la transparence de la nuit, les foyers, les lampes anciennes, les tableaux aux murs, les porcelaines rares, les fusils de collection, les bibelots. Partout la beauté, la richesse, la sécurité. Le silence rassurant d'un bien-être quiet. En automne ce sont les feuilles qui crissent sous les pas, les échappées venteuses et la même lumière transparente qui vous fait participer à la vie des gens. Elle marcherait des heures. En hiver surtout après la neige, le vent tombé, aimant le froid vif, coupant. Elle resterait des heures à son piano.

Notez toutes les différences. Les anciens manuels d'Histoire.

9e leçon   *(Élève, p. 30-32)*

7. Les Pères Brébeuf et Lalemant
meurent avec leurs fidèles

But: Susciter de l'admiration pour le courage et la charité désintéressée des premiers missionnaires.

Au pays des Indiens

Pour faire du Canada un pays catholique, les missionnaires sont allés annoncer le bon Dieu dans les différentes tribus. Chez les bons Indiens, les robes noires réussissaient à convertir plusieurs païens de la même région. Ceux-ci formaient alors de petits villages chrétiens. Un missionnaire restait au milieu d'eux, leur disait la messe, administrait les sacrements et continuait à les instruire.

Chez les méchants Indiens, le travail était plus difficile. Souvent, les Iroquois ne voulaient pas même recevoir les robes noires. Au contraire, ils avaient l'intention de faire mourir les missionnaires et les Indiens convertis.

Attaque

Les pères Brébeuf et Lalemant se dévouaient beaucoup dans un village de Hurons. Une nuit, on entend tout à coup des cris de guerre autour de la palissade. C'est le signal des Iroquois. Ils viennent mettre à mort tous les chrétiens.

Aussitôt, les pères Brébeuf et Lalemant courent chercher de l'eau et baptisent tous ceux qui sont prêts au baptême. Ensuite, ils confessent les grandes personnes. Ils invitent tous les chrétiens à offrir leur vie à Dieu pour la conversion de leurs ennemis.

Une centaine de guerriers courent déjà défendre la palissade. Ils lancent des pierres et des flèches. Mais un millier d'Iroquois se trouvent en face d'eux. Impossible de les forcer à reculer. Les uns après les autres, les défenseurs meurent sous les coups des ennemis.

Dans la bourgade, presque tous les habitants sont massacrés. Seuls, les pères Brébeuf et Lalemant avec quelques-uns de leurs fidèles sont épargnés et faits prisonniers. On veut les torturer.

Vers la torture

Les captifs sont emmenés dans une autre bourgade. En route, on les frappe avec des bâtons, à la méthode iroquoise. Voici comment cela se fait. Les Iroquois se mettent de chaque côté d'un sentier. Ils tiennent à la main un bâton et ils frappent au passage les captifs qui vont subir le supplice. Chaque prisonnier

reçoit des coups à la tête ou sur le corps. Lorsqu'il a
passé devant tout le monde, son corps est entièrement
couvert de marques rouges et bleues.

En plus de ce mauvais traitement, on leur mord les
doigts, on les torture de diverses manières. Les deux
missionnaires ne pensent pas à leurs propres souffrances.
Ils encouragent les Hurons et prient pour eux. Comme ils
sont courageux pour résister ainsi !

Au poteau

Rendus au centre de la bourgade, les prisonniers
sont attachés à des poteaux. Non loin des victimes, on
allume un grand feu de branches. Les Iroquois passent
d'un prisonnier à l'autre. Ils leur brûlent férocement la
chair avec des branches enflammées ou des morceaux de
fer rougis au feu.

Encouragements aux Hurons

Les pères missionnaires savent combien leurs
compagnons auront à souffrir. Alors, ils leur répètent ce
qu'ils leur ont enseigné au catéchisme : « Supportez
courageusement les supplices et regardez le ciel qui sera
votre récompense éternelle. Les tourments de la terre ne
dureront pas longtemps, mais la récompense que Dieu
donne à ceux qui lui sont fidèles dure toujours. »

Les Hurons admirent le courage et la charité des
missionnaires. Aidés par leurs paroles, ils promettent de
rester fidèles et de prier Dieu jusqu'au dernier soupir.

Les missionnaires ne peuvent avoir de plus grande
joie que celle de voir ces nouveaux convertis se préparer
ainsi au martyre par la prière. Ils savent que leurs chrétiens fidèles entreront bientôt dans le ciel.

Supplices

Les cruels Iroquois, inspirés par le démon, in-
ventent les pires moyens de faire souffrir leurs victimes !
Ils réservent leurs plus douloureux supplices aux robes
noires. Ils s'approchent d'eux à tour de rôle et leur

enfoncent dans la peau des tiges de fer rougies au feu. Ils leur arrachent les ongles. Sur les plaies, ils posent des charbons ardents. Les missionnaires ne font que prier Dieu afin d'avoir le courage de supporter tant de douleurs.

Martyre du père Brébeuf

Des Indiens enfilent des haches dans une tige de fer. Ils les font ensuite rougir au feu. Puis, ils déposent ce collier au cou du père Brébeuf. Malgré ses souffrances, le père Brébeuf ne cesse pas d'encourager ses compagnons. De sa voix forte, il leur parle de Jésus-Christ. Les Iroquois entrent en colère en l'entendant. Alors, devenus plus féroces encore, ils le scalpent: puis, lui versent de la cendre chaude sur le crâne. Les Iroquois sont furieux de le voir résister si longtemps à leurs tourments.

De tous les supplices, les Iroquois semblent préférer celui du feu. Alors, ils vont dans la forêt et enlèvent des écorces de sapins. Ils en entourent le corps du père Brébeuf et les enflamment. Toutes les chairs sont brûlées et noircies.

Le martyr respire encore et attend la mort d'un instant à l'autre. Ses bourreaux sont surpris de voir un si grand courage dans un homme. Alors, l'un d'eux veut en finir. De sa hache, il frappe le missionnaire au côté gauche et lui ouvre la poitrine. Il en arrache le cœur et le mange.

Le généreux père Brébeuf va recevoir au ciel la récompense de ses travaux et de ses sacrifices.

Martyre du père Lalemant

Le père Lalemant endure à peu près les mêmes tourments de la part des Iroquois. Ils lui tracent une croix sur la cuisse, puis ils passent dans la plaie une hache rougie au feu.

Cependant le père ne cesse de prier pour les Hurons qui meurent à ses côtés. Il ne peut plus parler, car on lui a brûlé la gorge, mais il peut au moins tourner ses yeux au ciel, où il espère aller bientôt. Les bourreaux ne peuvent tolérer ce geste. Ils lui arrachent les yeux, puis les remplacent par deux charbons ardents.

Le père Lalemant passe plus de quinze heures à souffrir les plus horribles tourments. Tout son corps n'est plus qu'une plaie de la tête aux pieds. Pour l'achever, un guerrier lui donne un coup de hache sur la tête. Le crâne est défoncé. Le père reçoit lui aussi la récompense de son martyre.

Dieu a accepté les souffrances des martyrs. Il a permis que le catholicisme se développe dans notre pays.

Martyrs d'aujourd'hui

Les pères Brébeuf et Lalemant sont au nombre de nos saints martyrs canadiens. Ils sont des modèles d'héroïsme pour les missionnaires d'aujourd'hui qui souffrent persécution de la part des méchants. Le bon Dieu se choisit encore des martyrs en pays de mission. Des prêtres, des religieux, des religieuses et de simples chrétiens ont à endurer bien des souffrances dans certains pays. On leur défend de parler du bon Dieu. On va jusqu'à les mettre à mort parce qu'ils veulent faire connaître Jésus-Christ à tous les hommes et pratiquer publiquement leur religion.

À l'exemple de nos saints martyrs canadiens, ils montrent une grande force dans la persécution. Dieu saura un jour récompenser leurs sacrifices. Aidons-les par nos prières à se montrer fidèles jusqu'à la mort.

SAINT JEAN DE BRÉBEUF,
PRIEZ POUR NOUS !

SAINT GABRIEL LALEMANT,
PRIEZ POUR NOUS !

Edgard Quinet : chez Mimile, le long du boulevard jouxtant le cimetière de Montparnasse. En ce temps-là *Chez Mimile*, on restait des heures. On n'était pas pressé.

Ce n'était pas le profit maximum. Une lumière dorée emplissait le bistrot vieillot avec ses moulures au plafond et ses lustres à demi borgnes. Il y avait sur les tables de grandes nappes blanches qui sentaient bon la lavande et tout autour sur les murs des gravures sous verre d'un genre naïf imitant les ex-voto. Tu te souviens de la pintade aux choux, et de la tarte tatin. Une bonne adresse *Chez Mimile*. Il a déménagé, chassé par les spéculateurs qui ont complètement rénové le quartier. Encore un peu du vieux Paris qui a fichu le camp. *Chez Mimile* dans le fond de la salle, il y avait un vieux piano mal accordé. Après le repas, tu allais souvent t'installer et tu jouais de vieilles romances d'autrefois imitant l'orgue de Barbarie. Les clients avaient l'air d'aimer ça. Ils en redemandaient. Mimile t'avait un jour demandé de venir jouer un samedi soir. Il avait, à cette occasion, mis sur chaque table un vase avec une rose. Tu avais joué des airs doucereux des années 1930 en sourdine pour ne pas gêner les conversations mais assez fort tout de même pour que les clients se sentent bien, à l'aise, un peu dans le genre de *La Closerie des lilas* de l'après-guerre.

APRÈS GRENELLE
JE NE SAIS PLUS
LA LIGNE SE PERD DANS MA
MÉMOIRE

L'OPÉRATION   S'APPELAIT
VENT   PRINTANIER
APRÈS   GRENELLE

Noter toutes les différences, donner du corps, du relief à ces différences. En particulier la publicité de chez *BENS* « Voici quelques-unes de nos spécialités de renommée mondiale…

Sandwich au smoked meat chaud
Crêpes aux pommes de terre (brun doré)
Riz frit au smoked meat
Egg rolls au smoked meat
   « un repas par lui-même »
BIG BENS SANDWICH
Bens fameux smoked meat chaud
servi double pain de seigle avec
cornichon, salade de choux et patates frites.
Blintzes chaud au fromage, servi avec la crème sûre
épaisse ou la sauce aux pommes, ou sauce aux bleuets.
Coupe de choux braisés
Steak de côte filet mignon, brochette
SPAGHETTI À LA BENS
Avec riche sauce à la viande et smoked meat haché
« HOLL-IPP-CHIS DELIGHT »
Portion de choux farcis avec sauce,
patates et la Parisienne Broit.
Gâteau au fromage (« Frais » de nos cuisines)
           SERVICE DE RAFRAÎCHISSEMENTS
              AU COMPTOIR ET AUX TABLES
       METS « CHARCUTERIE » POUR EMPORTER
                  VENDUS AU COMPTOIR
BENS OUVRE SES PORTES DE 7:00 HEURES
A.M. À 4:00 HEURES A.M. (DU DIMANCHE
AU JEUDI) ET DE 7:00 HEURES A.M. À 5:00
HEURES A.M. (VENDREDI ET SAMEDI).
BENS — UNE ENTREPRISE FAMILIALE QUI
DATE DE 1908.
BENS une tradition montréalaise.

C'est à partir de 1908 que Ben Kravitz et son épouse
Fanny offraient à leur clientèle, le premier sandwich à la
viande fumée (smoked meat).

Tout en peinant dans son minuscule restaurant au centre de l'activité du vêtement de Montréal, ses pensées se portaient souvent sur les pièces de viande fumée qu'il dégustait en famille, dans sa natale Lituanie. Dès lors, il prit la décision d'offrir le même bon procédé de boucanage et d'en faire des sandwichs à 5 sous. Un repas complet coûtait 20 sous à cette époque !

Ben n'avait qu'une règle d'or — ses clients méritaient ce qu'il y avait de mieux.

Déjà, les voitures de la haute société s'arrêtaient chez Bens.

Peu après, il dut trouver un emplacement plus vaste (coin nord-ouest Metcalfe et Maisonneuve).

La renommée de Bens s'étendait — La presse de par le monde faisait l'éloge de cet homme qui offrait ce délicieux et gros sandwich.

Encore une fois, Bens dut déménager (coin opposé) et même deux ans plus tard un agrandissement fut nécessaire.

Aujourd'hui, les garçons et petits garçons gèrent l'établissement et malgré l'évolution de ce monde depuis 70 ans, la famille a toujours maintenu les mêmes standards établis par Monsieur Ben.

Au-delà de deux millions de clients par année dégustent le fameux « Smoked Meat » de Bens. Les célébrités d'aussi loin que la Californie dégustent les « Bens » livrés par avion et les touristes à Montréal sont invités à goûter le sandwich « Bens » de plus de un pouce de viande sur pain de seigle frais sorti du four, avec *dill* (cornichon mariné à son optimum de saveur) plus la liqueur douce spéciale à Bens.

Les chanceux de Montréalais peuvent se l'offrir en tout temps — et vous ?

COMPOSEZ : 844 - 1000 - 1001 - 1002. »

Par moments pourtant l'angoisse comme si ce qui
était exclu devait s'insinuer à la place même du manque,
à la place même de l'absence, comme si l'exclu pouvait
commencer à l'inquiéter jour après jour. Comme une
montée d'abord lointaine assourdie, indistincte, puis de
plus en plus forte. Des bribes, des fragments de conversations, de meetings, de réunions. La rumeur des grandes
foules, des manifestations, des mots d'ordre, des chan-
sons, des slogans, des banderoles, des morceaux d'Histoire stratifiés, écroulés à demi, des bouts de réunions
dans des préaux d'écoles à la veille de municipales, de
législatives, de cantonales, de présidentielles, de référen-
dums. Une rumeur qu'elle connaîtrait bien ayant participé
de ses marches, de ses cris de son calendrier, de son espace quotidien, de sa respiration, pendant tant d'années.
Sans ordre, ni logique, ni chronologique. Le fascisme ne
passera pas. Pompidou — des sous. FNL vaincra. US go
home. Paix en Algérie. VIVE — LE — FNL — Barre un
— barre deux — Barre-toi. Giscard y en a marre. Ils sauront bientôt que nos balles sont pour nos propres généraux. C'est la lutte finale. Allons enfants de la patrie.
Unité d'action. El pueblo unido nunca sera vencido. Chili
vaincra. Pinochet assassin. Cuba si, yankee no. Cuba si,
yankee no. Che che che. Bas les pattes ou Chili. Racistes
— fascistes — assassins. Nous sommes tous des Juifs
allemands. Travailleurs immigrés — Français — même
patron — même combat. Milice patronale — fasciste —
assassin. CFT vendue. Les patrons peuvent payer. Des
écoles, pas de canons. Des crédits. Vive le 1er mai. Unité
— Unité. Des cris, des rumeurs, des larmes, des poings
serrés, des protestations, notre solidarité, souvent notre
impuissance. Peuple du monde faisons la ronde, la ronde
immense de la paix — paix en Algérie — paix au Viêt-
nam. US assassin. Vive l'offensive du Têt. Libérez

Ritsos, libérez Théodorakis. Sauvez Grimau. Franco assassin. Venceremos, Pide assassins. Sawak assassins. Pas
d'armes pour l'Apartheid. Des idées affrontées, affûtées
comme des couteaux. Un — seul — moyen — le — programme — commun. Une — seule — solution — la
Révolution. CRS SS. OAS assassin. Avanti populo alla
riscosa, baniera rosa, baniera rosa. Avanti populo alla
riscosa baniera rosa trionferà. Les blessures anciennes ou
des joies, de vieux combats gagnés ou perdus — Le tissu
du quotidien dénoué. Votez Non. Non à la dictature. Non
à Badinguet. Non à De Gaulle. Non à la constitution
autoritaire — Non à l'article 16. Non aux pouvoirs
spéciaux. Non à Ridgway. Non à Jules Moch et ses chars.
Non à l'Europe allemande. Non à la CED. Paix en
Indochine. Libérez Henri Martin. Non au réarmement
allemand. Nos quarante heures. État — patron — même
— combat. L'État comprime et la loi triche. Debout les
damnés de la terre. Il n'est pas de sauveur suprême. Vive
le FLN. Libérez nos camarades. Barre — Barre —
Baratin. Dix ans c'est assez. Il flotte, il flotte, il bouge,
c'est le drapeau des ouvriers. Étudiants travailleurs solidaires. À bas les décrets Laniel. Bon voyage monsieur
Guy Mollet. Vive le 14 juillet. À l'appel du grand Lénine
se levaient les partisans. Blanc bonnet et bonnet blanc.
Pour le respect de la ligne ODER NEISSE. Vive la commune. C'est la lutte finale qui commence, c'est la revanche de tous les crève-la-faim. Nous n'oublierons pas.
Nous ne laisserons pas. Nous vous vengerons, nous châ-
tierons les assassins. Vous n'êtes pas morts pour rien.
Nous sommes solidaires. L'Histoire tranchera — l'Histoire tranchante. Vive le 14 juillet. Il y a d'autres Batilles
à prendre. Le peuple de Paris. Le pavé de Paris. Gavroche
et la liberté guidant le peuple. Marchons au pas cama-
rade, marchons au pas hardiment. Par-delà les barricades,

la liberté nous attend. La retraite à soixante ans. Pas de
crédits pour l'école libre. À bas la calotte. À bas la censure. Le pouvoir est dans la rue, grève générale illimitée
— Charlot des sous. Ce n'est qu'un début, continuons le
combat. Charonne — police complice. Ma blonde
entends-tu dans la ville siffler les fabriques et les trains.
Tous à la Mutu. Tous au Père-la-chaise. Tous à l'Élysée.
Le pouvoir aux travailleurs. De la République à la
Bastille par le boulevard Voltaire, de la Nation à la
Bastille par le Faubourg Saint-Antoine ou par le
boulevard Beaumarchais. Il faisait beau. Il faisait froid. Il
pleuvait. Il y avait peu de monde, il y avait un monde fou.
Un million d'après *L'Huma*, deux cent mille d'après la
préfecture de police, cinq cent mille d'après *Le Monde*.
Ce fut une belle manif — je reviens de la manif. Tous à
la manif. Ni Dieu, ni César, ni Tribun.

    Cette pratique du rien quotidienne, cette politique
de tous les jours qu'elle aurait vraiment quittée et qui
l'envahirait malgré elle, clamant à ses oreilles les
nouveaux mots d'ordre lors d'événements désormais
séparés d'elle. Coupée de son Histoire, projetée dans une
autre. Le manque. L'espérance pourrait-elle être la même
partout dans le monde et pourrait-elle s'y retrouver ? Sans
la complicité des itinéraires et des voix, sans ce tissu
séculaire de codes de pensées et de gestes, d'automa-
tismes aussi. Ici la fête du travail ce n'est pas le 1er mai,
c'est le 1er lundi de septembre. Elle n'en reviendrait pas.
Elle n'en serait jamais revenue. Pourquoi toute cette
angoisse et cette intrusion massive du politique puisque
je m'obstine à la placer dans un milieu bourgeois. Pour
mieux brouiller les cartes. Mais quelles cartes ? Elle se
serait constituée pour elle-même des analogies, des
repères, des événements avec lesquels ici elle pourrait
s'identifier. Des luttes qu'elle comprendrait, un langage

commun. Quelque chose de vaguement universel qui lui permettrait de ne pas sentir la démembrure. Un catalogue disparate, un vade-mecum pour exilé de gauche. Une énorme besace dans laquelle on trouverait pêle-mêle sans aucune chronologie d'abord le manifeste du FLQ. Cela sonnerait comme l'écho ancien d'une lutte de libération nationale et avec cela elle aurait été plus que familiarisée. Son mari lui aurait souvent dit l'émotion intense qui l'aurait étreint lorsqu'il aurait entendu cela, à la télévision de Radio-Canada, de la voix de Gaétan Montreuil.

Le Front de libération du Québec n'est pas le messie, ni un Robin des temps modernes. C'est un regroupement de travailleurs québécois qui sont décidés à tout mettre en œuvre pour que le peuple du Québec prenne définitivement en main son destin.

Le Front de libération du Québec veut l'indépendance totale des Québécois, réunis dans une société libre et purgée à jamais de sa clique de requins voraces, les « big-boss » patronneux et leurs valets qui ont fait du Québec leur chasse gardée du cheap labor et de l'exploitation sans scrupules.

Le Front de libération du Québec n'est pas un mouvement d'agression, mais la réponse à une agression, celle organisée par la haute finance par l'entremise des marionnettes des gouvernements fédéral et provincial (le show de la Brinks, le bill 63, la carte électorale, la taxe dite de «progrès social» [sic], Power Corporation, l'assurance-médecins, les gars de Lapalme…).

Le Front de libération du Québec s'autofinance d'impôts volontaires [sic] prélevés à même les entreprises d'exploitation des ouvriers (banques, compagnies de finance, etc.).

«Les puissances d'argent du statu quo, la plupart des tuteurs traditionnels de notre peuple, ont obtenu la réaction qu'ils espéraient, le recul plutôt qu'un changement

pour lequel nous avons travaillé comme jamais; pour lequel
on va continuer à travailler. »

René Lévesque, 29 avril 1970.

La « democracy » des riches

* * *

Nous avons cru un moment qu'il valait la peine de
canaliser nos énergies, nos impatiences comme le dit si
bien René Lévesque, dans le Parti québécois, mais la
victoire libérale montre bien que ce qu'on appelle
démocratie au Québec n'est en fait et depuis toujours que
la « democracy » des riches. La victoire du Parti libéral
en ce sens n'est en fait que la victoire des faiseurs
d'élections Simard-Cotroni. En conséquence, le parle-
mentarisme britannique, c'est bien fini et le Front de
libération du Québec ne se laissera jamais distraire par
les miettes électorales que les capitalistes anglo-saxons
lancent dans la basse-cour québécoise à tous les quatre
ans. Nombre de Québécois ont compris et ils vont agir.
Bourassa dans l'année qui vient va prendre de la matu-
rité: 100 000 travailleurs révolutionnaires organisés et
armés !

Oui, il y en a des raisons à la victoire libérale. Oui
il y en a des raisons à la pauvreté, au chômage, aux
taudis, au fait que vous M. Bergeron de la rue Visitation
et aussi vous M. Legendre de Ville de Laval qui gagnez
10 000 dollars par année, vous ne vous sentiez pas libres
en notre pays le Québec.

Oui, il y en a des raisons, et les gars de la Lord les
connaissent, les pêcheurs de la Gaspésie, les travailleurs
de la Côte Nord, les mineurs de la Iron Ore, de Québec
Cartier Mining, de la Noranda les connaissent eux aussi
ces raisons. Et les braves travailleurs de Cabano que l'on
a tenté de fourrer une fois de plus en savent des tas de
raisons.

Les « vaisseaux d'or »

Oui, il y en a des raisons pour que vous, M. Tremblay de la rue Panet et vous, M. Cloutier qui travaillez dans la construction à Saint-Jérôme, vous ne puissiez vous payer des « vaisseaux d'or » avec de la belle zizique et tout le fling flang comme l'a fait Drapeau-l'aristocrate, celui qui se préoccupe tellement des taudis qu'il a fait placer des panneaux de couleur devant ceux-ci pour ne pas que les riches touristes voient notre misère.

Oui, il y en a des raisons pour que vous Mme Lemay de Saint-Hyacinthe vous ne puissiez vous payer des petits voyages en Floride comme le font avec notre argent tous les sales juges et députés.

Les braves travailleurs de la Vickers et ceux de la Davie Ship les savent ces raisons, eux à qui l'on n'a donné aucune raison pour les crisser à la porte. Et les gars de Murdochville que l'on a écrasés pour la seule et unique raison qu'ils voulaient se syndiquer et à qui les sales juges ont fait payer plus de deux millions de dollars parce qu'ils avaient voulu exercer ce droit élémentaire. Les gars de Murdochville la connaissent la justice et ils en connaissent des tas de raisons.

Oui, il y en a des raisons pour que vous, M. Lachance de la rue Sainte-Marguerite, vous alliez noyer votre désespoir, votre rancœur et votre rage dans la bière du chien à Molson. Et toi, Lachance fils avec tes cigarettes de mari…

Des tas de raisons

Oui, il y en a des raisons pour que vous, les assistés sociaux, on vous tienne de génération en génération sur le bien-être social. Il y en a des tas de raisons, les travailleurs de la Domtar à Windsor et à East Angus les savent. Et les travailleurs de la Squibb et de la Ayers et les gars de la Régie des Alcools et ceux de la Seven Up et de Victoria Precision, et les cols bleus de

Laval et de Montréal et les gars de Lapalme en savent des tas de raisons.

Les travailleurs de Dupont of Canada en savent eux aussi, même si bientôt ils ne pourront que les donner en anglais (ainsi assimilés, ils iront grossir le nombre des immigrants, néo-Québécois, enfants chéris du bill 63).

Et les policiers de Montréal auraient dû les comprendre ces raisons, eux qui sont les bras du système; ils auraient dû s'apercevoir que nous vivons dans une société terrorisée parce que sans leur force, sans leur violence, plus rien ne fonctionnait le 7 octobre !

Le fédéralisme « canadien »

Nous en avons soupé du fédéralisme canadien qui pénalise les producteurs laitiers du Québec pour satisfaire aux besoins anglo-saxons du Commonwealth; qui maintient les braves chauffeurs de taxi de Montréal dans un état de demi-esclaves en protégeant honteusement le monopole exclusif à l'écœurant Murray Hill et son propriétaire-assassin Charles Hershorn et son fils Paul qui, à maintes reprises, le soir du 7 octobre, arracha des mains de ses employés le fusil de calibre 12 pour tirer sur les chauffeurs et blesser ainsi mortellement le caporal Dumas, tué en tant que manifestant; qui pratique une politique insensée des importations en jetant un à un dans la rue des petits salariés des Textiles et de la Chaussure, les plus bafoués au Québec, au profit d'une poignée de maudits « money-makers » roulant Cadillac; qui classe la nation québécoise au rang des minorités ethniques du Canada.

Nous en avons soupé, et de plus en plus de Québécois également, d'un gouvernement de mitaines qui fait mille et une acrobaties pour charmer les millionnaires américains en les suppliant de venir investir au Québec, la Belle Province où des milliers de milles carrés de forêts remplies de gibier et de lacs poissonneux sont la propriété exclusive de ces mêmes Seigneurs tout-puissants du XXe siècle;

Les blindés de la Brinks

d'un hypocrite à la Bourassa qui s'appuie sur les
blindés de la Brinks, véritable symbole de l'occupation
étrangère au Québec, pour tenir les pauvres « natives »
québécois dans la peur de la misère et du chômage
auxquels nous sommes tant habitués;

de nos impôts que l'envoyé d'Ottawa au Québec
veut donner aux boss anglophones pour les « inciter », ma
chère, à parler français, à négocier en français : repeat
after me : « cheap labor means main-d'œuvre à bon
marché »;

des promesses de travail et de prospérité, alors que
nous serons toujours les serviteurs assidus et les lèche-
bottes des big-shot, tant qu'il y aura des Westmount, des
town of Mount-Royal, des Hampstead, des Outremont,
tous ces véritables châteaux forts de la haute finance de
la rue Saint-Jacques et de la Wall Street, tant que nous
tous, Québécois, n'aurons pas chassé par tous les
moyens, y compris la dynamite et les armes, ces big-boss
de l'économie et de la politique, prêts à toutes les
bassesses pour mieux nous fourrer.

Nous vivons dans une société d'esclaves terrorisés, terrorisés par les grands patrons, Steinberg, Clark,
Bronfman, Smith, Neopole, Timmins, Geoffrion, J.-L.
Lévesque, Hershorn, Thompson, Nesbitt, Desmarais,
Kierans (à côté de ça, Rémi Popol la garcette, Drapeau le
dog, Bourassa le serein des Simard, Trudeau la tapette,
c'est des peanuts!)

Les grands maîtres de la consommation

Terrorisés par l'Église capitaliste romaine, même
si ça paraît de moins en moins (à qui appartient la Place
de la Bourse ?), par les paiements à rembourser à la
Household Finance, par la publicité des grands maîtres
de la consommation, Eaton, Simpson, Morgan,
Steinberg, General Motors…; terrorisés par les lieux
fermés de la science et de la culture que sont les

universités et par leurs singes-directeurs Gaudry et
Dorais et par le sous-singe Robert Shaw.

Nous sommes de plus en plus nombreux à
connaître et à subir cette société terroriste et le jour s'en
vient où tous les Westmount du Québec disparaîtront de
la carte.

Travailleurs de la production, des mines et des
forêts ; travailleurs des services, enseignants et étudiants,
chômeurs, prenez ce qui vous appartient, votre travail,
votre détermination et votre liberté. Et vous, les travailleurs de la General Electric, c'est vous qui faites fonctionner vos usines ; vous seuls êtes capables de produire ;
sans vous, General Electric n'est rien !

Travailleurs du Québec, commencez dès aujour-
d'hui à reprendre ce qui vous appartient ; prenez vous-
mêmes ce qui est à vous. Vous seuls connaissez vos
usines, vos machines, vos hôtels, vos universités, vos
syndicats ; n'attendez pas d'organisation-miracle.

Faites votre révolution

Faites vous-mêmes votre révolution dans vos quartiers, dans vos milieux de travail. Et si vous ne le faites
pas vous-mêmes, d'autres usurpateurs technocrates ou
autres remplaceront la poignée de fumeurs de cigares que
nous connaissons maintenant et tout sera à refaire. Vous
seuls êtes capables de bâtir une société libre.

Il nous faut lutter, non plus un à un, mais en
s'unissant jusqu'à la victoire, avec tous les moyens que
l'on possède comme l'ont fait les Patriotes de 1837-1838
(ceux que Notre sainte mère l'Église s'est empressée
d'excommunier pour mieux se vendre aux intérêts bri-
tanniques).

Qu'aux quatre coins du Québec, ceux qu'on a osé
traiter avec dédain de lousy French et d'alcooliques
entreprennent vigoureusement le combat contre les
matraqueurs de la liberté et de la justice et mettent hors
d'état de nuire tous ces professionnels du hold-up et de

l'escroquerie : banquiers, businessmen, juges et politi-
cailleurs vendus…

Nous sommes des travailleurs québécois et nous
irons jusqu'au bout. Nous voulons remplacer avec toute
la population cette société d'esclaves par une société
libre, fonctionnant d'elle-même et pour elle-même, une
société ouverte sur le monde.

Notre lutte ne peut être que victorieuse. On ne
tient pas longtemps dans la misère et le mépris un peuple
en réveil.

Vive le Québec libre !
Vive les camarades,
  prisonniers politiques !
Vive la révolution québécoise
Vive le Front de
  libération du Québec !

1970

Elle se demanderait souvent comment elle aurait
vécu ces événements elle ? Ne les aurait-elle pas traités
de petits-bourgeois populistes coupés du peuple ? Rê-
veurs idéalistes jouant avec le feu ? Aurait-elle embarqué
avec eux ? Aurait-elle, elle aussi connu cette émotion en
entendant leur message ? À bien des années de distance,
ce texte sonnerait étrangement proche et étrangement
lointain.

Il y aurait aussi dans cette lourde besace, dans ce
puzzle achronique qu'elle se serait constitué jour après
jour, la déclaration d'indépendance du 28 février 1838
dans laquelle figurait l'égalité des droits pour les Amérindiens, la séparation de l'Église et de l'État, l'abolition
de la féodalité, la liberté de la presse, etc. Elle se reconnaîtrait bien là-dedans. Une révolution bourgeoise en
somme, un peu décalée dans le temps. Bon pour le balluchon. En fouillant dans la besace, on trouverait tout le

mouvement syndical, les grèves mémoriales, en particulier celle de Murdochville. Son mari serait gaspésien et
il aurait souvent été question à la maison de cette petite
« company town » de 3 000 habitants dans les années
1950. Une longue lutte de sept mois contre La Noranda.
Mille travailleurs. S'affilier aux *steelworkers* de la CIO
était un crime. La Commission des relations ouvrières
fondée par le sinistre Duplessis avait refusé l'accréditation malgré une majorité évidente. La Noranda suscita
un syndicat de boutique. En 1956, les métallos sous la
direction d'Émile Boudreau firent signer 800 cartes et
déposèrent une requête en accréditation. Le 8 mars 1957,
Théo Gagné, le président de la section locale des métallos
est congédié brutalement. La riposte syndicale fut
générale. Longue grève. Perdue. Oui ce serait un de ses
combats à elle, elle s'y reconnaîtrait pleinement comme
si à peine arrivée au Canada dans les années 1950 et
femme de mineur, elle se serait battue farouchement du
fond de la grande noirceur contre les syndicats de boutique, les commissions bidons émanant du pouvoir, les
listes noires, la loi du cadenas, la répression sous toutes
ses formes, les salaires de misère et le clergé. La grève de
1946 aussi à la Dominion Textile à Valleyfield et Kent
Rolley déclarant à ses juges « Votre Honneur, je suis ici à
la suite d'une conspiration entre Duplessis et la Dominion Textile », et Madeleine Parent et Bernard Mergler
défendant les syndicalistes. Oui, tout cela serait son
monde, ses valeurs depuis toujours. Tout le mouvement
syndical qui refusait d'être aux ordres, qui refusait
l'anticommunisme, la loi de la carotte et du bâton. Mais
cela ne lui suffirait encore pas. En cherchant on sortirait
aussi du balluchon, toutes les luttes pour constituer ici
une gauche, et Fred Rose et les manifestes de Parti pris,
et le PSQ, le MLP, le FLP, le Frap et les discussions sur

l'étapisme, et ce parti des travailleurs toujours à cons-
truire et jamais construit. Là encore, elle se reconnaîtrait
pleinement, pas du tout dépaysée. Simplement, il y aurait
un gros trou là où chez elle on nommait le parti socialiste,
le parti communiste voilà tout. Un énorme trou — une
absence horriblement présente, douloureuse, un énorme
vide qui finirait par la broyer à la première occasion.
Dans sa besace identificatoire, il y aurait aussi les
femmes, leurs recherches, leur combat, leur écriture —
les femmes contre l'incroyable connerie réactionnaire,
qui a fait censurer *Les fées ont soif*. Les femmes, telle
Yolande Tanguay, fille et femme de mineur à Thetford
Mines «pour montrer qu'il n'y a pas juste les notables de
la place qui ont quelque chose à dire — Un travailleur, ça
ne parle pas plus mal qu'un autre». On dit que la parole
c'est le véhicule de la pensée, essayons que ça ne soit pas
un bazou. Moi, je dis que j'ai un dune boggy amélioré,
parce que je ne voulais pas que ce soit un Cadillac.
Essayons de nous exprimer dans notre langue et on va se
rendre à destination quelque part. «Qui veut embarquer
dans mon dune boggy amélioré?» Il y aurait aussi dans
le balluchon tout l'agit-prop et la littérature récente, et
l'Art de ce pays, de Borduas à Hubert Aquin. La première douleur vraie ressentie ici, son suicide. Et puis
l'inévitable par la suite. Son nom donné à un pavillon de
l'Université du Québec. Le défunt aurait eu ça en horreur.
Oui, une écriture d'ici dans laquelle elle aurait plongé dès
le premier jour. Du côté de ceux qui luttent. Et la question nationale Madame? Notez toutes les différences. Ne
pas oublier Bernard Derome ce soir au téléjournal. Les
programmes de télévision :

2 CBFT

8.55 Ouverture et horaire
9.00 En mouvement
9.15 Les 100 tours de Centour
9.30 Animagerie
10.00 Passe-partout
10.30 Magazine-express
       « La chiropratique » avec
       le Dr Roch Parent, chiro-
       praticien, « Soins dentai-
       res » avec le Dr Yves Du-
       fresne,   chirurgien-
       dentiste.
11.00 Moi aussi je parle fran-
       çais : « La Beauce ». Le
       français parlé dans la
       Beauce, ce « québécois
       provincial », tient ces par-
       ticularités de nombreuses
       influences : amérindienne,
       acadienne, irlandaise,
       etc., aussi bien que de
       l'imagerie populaire
11.30 Gaspard et les fantômes :
       Dessins animés
12.00 Un pays, un goût, une
       manière : Documentaire
       réalisé par Iolande Cadrin-
       Rossignol et Fernand
       Dansereau « La leçon du
       passé »
12.30 Les coqueluches : Inv. :
       Danièle Doris et Clairette
13.30 Le téléjournal
13.35 Femme d'aujourd'hui :
       « Les femmes de Montréal
       sont-elles différentes des
       femmes de Québec ? Les
       hommes anglophones
       voient-ils les femmes au-
       trement que les hommes
       francophones ? » Il y a

moyen de le savoir et d'en
apprendre bien plus encore
sur ce que nous sommes.
14.30 Les ateliers
15.30 Les animaux chez eux :
       « Au pays des serpents à
       sonnettes ».
16.00 Bobino
16.30 Les héritiers
17.00 Le cœur au ventre. Feuil-
       leton réalisé par Robert
       Mazoyer
18.00 Ce soir
19.00 Propulsion CTF
19.30 Génies en herbe : Jeu-
       questionnaire
20.00 Frédéric : Téléroman de
       Michel Faure et Claude
       Fournier
20.30 Hors-série : « Gaston Phé-
       bus » (Le lion des Pyré-
       nées). D'après l'œuvre de
       Myriam et Gaston de
       Béarn. Avec Jean-Claude
       Drouot, Pascale Rivault,
       Georges Marchal, Dora
       Doll et Michèle Grellier.
21.30 Consommateurs plus :
       « Les dessous d'une
       vente ». Les ventes que
       nous annoncent les ma-
       gasins sont-elles vérita-
       bles ? À qui profitent-
       elles ? Fait-on un bon
       achat ? « La loi 72 » Nou-
       velle loi de protection du
       consommateur entrera en
       vigueur au mois de Mars.
       Les éléments les plus im-
       portants seront analysés.
22.00 L'enjeu. Anim : Gilles
       Courtemanche. Inter-
       views, tables rondes et

sondages concernant la Question référendaire.

22.30 Le téléjournal
23.10 Nouvelles du sport
23.20 Cinéma: «Le bon et le méchant» (Français 1975). Comédie réalisée par Claude Lelouch, avec Jacques Dutronc, Marlène Jobert, Bruno Cremer, Jacques Villeret et Brigitte Fossey.
 1.30 Ciné-nuit: «Sangaree» (Américain 1952). Drame réalisé par Edward Ludwig, avec Fernando Lamas, Arlene Dahl et Patricia Medina...■
 3.05 Le téléjournal

10 CFTM

 6.55 Horaire
 7.00 Les p'tits bonshommes
 8.00 Gronico et Cie
 8.30 Le 10 vous informe
 8.35 Bonjour le monde. Avec Michel Jasmin.
10.00 Votre amie Suzanne: «De belles choses», «La famille et ses droits», «La décoration intérieure»
11.15 Saturnin, le petit canard
11.30 Le 10 vous informe
12.30 Ciné-quiz: «La justice du pendu» (Américain 1974). Western avec Steve Forrest, Dean Jagger, Will Geer et Sharon Acker
14.30 Jeannette veut savoir: «S'il faut donner la fessée à un enfant»

15.30 Les services à la communauté
16.00 Les satellipopettes
16.30 Ma sorcière bien-aimée
17.00 Patrouille du cosmos
18.00 Le 10 vous informe
18.30 Les Tannants
19.30 Féminin pluriel
20.00 Référendum: Anim.: Jacques Morency.
21.00 Bonsoir le monde. Avec Michel Jasmin
22.00 Toute la ville en parle
22.15 La corne d'abondance
22.30 Les nouvelles TVA
23.00 Sport au 10
23.10 La couleur du temps
23.25 Programme double: «La violence appelle l'ordre» (Italien 1973). Drame policier réalisé par Sergio Martino, avec Luc Merenda, Richard Conte, Silvanio Tranquill, Martine Borchard, Carlo Alighlero et Cristea Avram.
 1.00 Programme double: «Nuit d'or» (Franco-Allemand 1976) — Drame de mœurs réalisé par Serge Moati, avec Klaus Kinski, Anny Duperey et Valérie Pascale.
 2.30 Dernière édition

17 RADIO-QUÉBEC

10.00 Le marché aux images. Films documentaires
11.00 Readalong, Child Life in Other Lands. Émission du ministère de

l'Éducation destinée à favoriser l'apprentissage de la langue anglaise chez les jeunes.

11.30 Parlez-moi. Avec l'ami Sol, les jeunes anglophones apprennent le français.

13.30 Mon ami Pierrot

13.45 Les 100 tours de Centour

14.00 Passe-partout. Une émission divertissante pour les petits de trois à six ans.

14.30 Le marché aux images. Films documentaires

15.30 La vie en mouvement: «La vie des libellules»

16.00 Le mime Marcel Marceau

17.00 La houille verte. Un document sur le phénomène de photosynthèse.

17.30 Métrique. Les secrets du système métrique.

18.00 Le petit monde d'André Tahon

18.30 C'est arrivé à Hollywood: «Les mondes imaginaires». Série d'émissions faisant revivre les meilleurs moments du cinéma hollywoodien.

19.00 La vie parlementaire

20.00 Babillart. Un magazine culturel qui nous fait connaître artistes et créateurs de chez nous.

20.30 Cinq milliards d'hommes: «L'échange inégal». Le phénomène de détérioration des échanges entre les pays.

21.00 Les livres et nous. Un rendez-vous avec le monde de l'écriture québécoise.

21.30 I am the Blues. Willie Dixon et ses musiciens nous font partager quelques moments de leur existence et de leur passion, le blues.

99 T V F Q (Câble)

9.30 Pour les jeunes: «Hebdo jeune»: «Modelisme: visite du Club Boulogne Billancourt».

10.15 Feuilleton: «Une femme seule» d'après le roman de Régine Andry. Avec Dominique Vilar.

10.30 Société d'aujourd'hui Inv.: Dr Jean-Paul Escande, Dr Gilbert Tordjmann, Rose Codina, Gaelle Questiaux. Rubrique d'information médicale, de conseils de beauté et de mode.

11.30 Midi-Première: (Variété)

12.00 À la découverte de...:

13.00 Au théâtre ce soir «Le faiseur: d'Honoré de Balzac» avec Jean Le Poulain, Françoise Fleury, Martine Couture et Jean-Marie Bernicat.

15.00 Des chiffres et des lettres.

15.20 Passez donc chez moi

15.40 Actualités régionales: L'est de la France.

17.00 Pour les jeunes :
       « Hebdo jeune »
17.45 Feuilleton :
       « Une femme seule »
       d'après le roman de Ré-
       gine Andry. Avec Domi-
       nique Vilar.
18.00 Société d'aujourd'hui
       Cinq candidats, tous
       auteurs-compositeurs-
       interprètes, tentent leur
       chance devant un jury de
       téléspectatrices présidé
       par deux personnalités du
       spectacle.
19.00 Midi-Première :
       (Variété)
19.30 À la découverte de… :
       « Avant Marseille ». Il y a
       2 500 ans, Marseille était
       une cité grecque dont le
       développement n'a pas
       cessé depuis cette époque.
20.30 Au théâtre ce soir
       « Ne quittez pas ». Comé-
       die en deux actes et trois
       tableaux de Marc-Gilbert
       Sauvajon et Guy Bolton
       sur une idée d'Albert Sa-
       voir. Avec Jean-Pierre
       Bouvier, Mario Game,
       Jose Luccioni et Henri
       Courseaux.
22.30 Des chiffres et des lettres
23.00 Passez donc chez moi
23.10 Actualités régionales :
       L'est de la France

 9.15 The Friendly Giant
 9.30 Quebec School Telecast
10.00 Canadian Schools
10.30 Mr. Dressup
11.00 Sesame Street
11.58 Weather Report
12.00 From Now On
12.28 Senior Citizens Billboard
12.38 Wicks
13.00 Today from the Pacific
14.00 The Edge of Night
14.30 Take 30
15.00 The Bob McClean Show
16.00 Beyond Reason
16.30 All in the Family
17.00 The Beachcombers
17.30 The Mary Tyler Moore
       Show
18.00 The City at Six
19.00 Happy Days
19.30 Nellie, Daniel, Emman
       and Ben
20.00 Archie Bunker's place
20.30 Front page challenge
21.00 The Tommy Hunter Show
22.00 Dallas
23.00 The National
23.27 The City Tonight
23.45 Brier reports
24.00 All that jazz
 1.00 Ciné-six :
       « Love is a ball » (Comédie
       1963) avec Glenn Ford,
       Hope Lange, Charles
       Boyer, Ricardo Montalban
       et Telly Savalas.
 2.55 Station closing

---

6 CBMT

 9.00 A Thought for Today
 9.05 CBC 6 Good Morning

12 CFCF

 5.59 Sign On
 6.00 University of the Air

6.30	Morning exercises	19.30	Grand old country
7.00	Canada A.M.	20.00	The love boat
9.00	Romper room	21.00	The Dukes of Hazzard
9.30	What's Cooking	22.00	The Olympiad: The Marathon
10.00	Ed Allen		
10.30	Definition	22.58	Loto-Québec
11.00	The Community	23.00	CTV National News
11.30	Rocket Robin Hood	23.21	Pulse
12.00	The Flintstones	24.00	Twelve Midnight Movie:
12.30	Street Talk		« Claudine » (Comédie drama-
13.00	McGowan and Co.		tique 1974) avec Diahann
13.30	The Allan Hamel Show		Carroll et James Earl
14.30	Another World		Jones.
16.00	The Mad Dash	1.45	« Climb an angry moun-
16.30	Family Feud		tain » (Drame 1972) avec
17.00	The Price is Right		Fess Parker, Arthur Hun-
18.00	Pulse		nicutt et Marj Dusay.
19.00	McGowan and Co.	3.35	Sign Off

Ils auraient parfois des discussions pénibles frisant la brouille. Le gouvernement venant de faire prendre des lois spéciales suspendant le droit de grève, elle aurait ironisé sur « le préjugé favorable aux travailleurs ». Il aurait élevé la voix. Au moment de leurs discussions plus ou moins passionnées, il aurait pris l'habitude de lui dire que n'étant pas d'ici, elle n'y connaissait rien. Ce jour-là il se serait senti atteint. — Va donc rejoindre le parti communiste, avec toi ils seront assez nombreux pour jouer au bridge, ou va chez les Maos, il y a une demi-douzaine de chapelles, tu as le choix. Tu me fatigues avec tes critères européens. Elle aurait haussé les épaules. Mettre fin à cette dispute et vite. Parler d'autre chose. Ne plus jouer aux provocatrices. Ils se réconcilieraient vite en faisant l'amour. Au milieu des caresses, il lui dirait qu'elle était une maudite Française et qu'elle le resterait, et elle lui rétorquerait en l'embrassant qu'il était quétaine et qu'il le resterait. Elle sentirait cependant qu'à la longue, ce genre d'affrontement finirait par laisser comme une fissure entre eux. À la longue. Comment voterait-elle au référendum ? Par moments, elle serait presque sûre de dire oui. Elle penserait à Maurice Audin, à Henri Alleg, à ceux qui avaient lutté pour l'indépendance de l'Algérie avec les Algériens, à ceux qui avaient porté les valises du FLN. Impossible de dire NON, de voter avec les tenants des multinationales, des Dominants. Par moments, cependant, ces moments qui reviendraient souvent où son mari lui ferait sentir qu'elle n'était pas d'ici, elle hésiterait. La peur. Non pas la peur que les libéraux cherchaient à distiller — non une autre peur.

La peur de l'homogénéité
        de l'unanimité
        du Nous excluant tous les autres
        du pure laine
        elle l'immigrante
la différente
la déviante.
Elle hésiterait.
Car il pourrait aussi y avoir une façon québécoise de faire
        la chasse aux sorcières
car il pourrait aussi y avoir une façon québécoise
        d'être xénophobe et
        antisémite.
Elle hésiterait. Perdue dans ce combat historique
        pas tout à fait le sien
        pas tout à fait un autre.

Dédales étrangers, dépits, déroutes. Love it or leave it. Love it or maple leave it. Ces points d'ancrage, dans les bribes murmurées de souvenirs anciens. Désormais le temps de l'ailleurs de l'entre-trois langues, trois alphabets dans la même journée. Télescopage de passages des grandes plaines de Russie aux toits de Paris, de l'East-

End de Londres au lower east side new-yorkais, la
Vistule, la Volga, la Volgule, la virgule, coma. L'oubli
— l'amnésie. Collages. Tout se chevauche et se mêle.
Désormais, le temps de la confusion, de la contradiction,
du désespoir solitaire. Agir la solitude. J'aimais tant les
automnes, les taches de rouge, de marron à travers le vert
lumineux, les jonchées de feuilles jaune vif. Ce pays
déployait devant moi ses automnes. Éclatants. À m'y
vautrer, à m'en barbouiller le ventre. Goulûment.
Jouissance des coulées d'air froid, de l'odeur du gazon
frais coupé, de la décomposition acide des feuilles déjà
tombées. Taches rouges sang, écarlates parfois grenat,
parfois brunes. La montagne en feu, fauve comme le
désir. La montagne sauvage.

     Je l'avais donc imaginée à Outremont. Mais tout
cela clochait, mon stylo rechignait. L'inspiration tournait
court, les phrases même se rebellaient et refusaient leur
déploiement même syncopé. Rien de tout cela n'était
crédible. Alors quoi. Inintégrable, la jacobine, la rouge, la
communarde ? Impossible de *coquetieren* avec cet
imaginaire de droite, cet héritage de droite — héritiers de
Louis Veuillot, de Paul Bourget. Tout s'appelle Lionel
Groulx. Les nouvelles stations de métro, les pavillons
d'université, les plaques de monuments. Notre — État —
français — nous l'aurons — et — j'aime les États —
forts — et — les corporations — les chefs. La race —
Action française — Action nationale. Très peu pour moi.
Très peu pour elle. Pourquoi pas un monument aux gré-
vistes de Murdochville ou à Fred Rose qui s'ennuie à
Varsovie ! Et puis la fleur de lys a pour elle d'étranges
connotations : royalistes, antisémites, nobliaux imbus de
leurs anciens privilèges. J'accuse Du Paty de Clam et
Darquier de Pellepoix et tous les De qui ont contribué à
nous faire arrêter en juillet 1942. Elle saurait pourtant que

les symboles ont une histoire, qu'ils peuvent inverser leur signification, qu'ils circulent d'étranges façons. Elle n'aurait jamais été du côté des Dominants. Elle pourrait comprendre qu'ici... Elle voudrait comprendre. Lui laisserait-on le temps ?

Mais de quoi je me mêle, ce n'est pas tes oignons. Va sucrer tes fraises républicaines, cultiver ton jardin à la française, le droit de la boucler. Les immigrants ne font pas de politique. Les brisures et les écartèlements de l'Histoire.

Le droit des peuples à disposer d'eux-mêmes.

L'auto-détermination — des peuples, pas seulement des bourgeoisies. Montparnasse. Montparno. Le long couloir du métro avant l'établissement du tapis roulant. Les crêperies bretonnes avant la tour. Le *Dôme*, le *Select* et les tartes au citron de la *Coupole*. Un jour de tes quinze ans tu as attendu à la *Coupole* le grand amour de ton adolescence mordant dans une tarte au citron. Il n'est jamais venu. Tu as pleuré une ou deux heures comme on pleure à quinze ans et tu as marché au hasard dans ce quartier. Montparnasse ! Tu as pris le métro. Dans le couloir un aveugle jouait de l'accordéon. Tu as mis dans sa boîte un de ces billets de 500 anciens francs qui n'existent plus aujourd'hui. Tu es restée assise sur le quai un long moment à regarder les affiches publicitaires. Montparnasse — Bienvenüe avec le tréma sur le *e* ou sur le *u* je ne sais plus. C'était au temps où la fête de l'Humanité se tenait à Vincennes, avant le XXe congrès. Il était encore permis d'être heureux.

Mime Yente aurait tenu absolument à ce qu'elle vienne la voir à Snowdon tous les vendredis pour les bougies du sabbat. Bien que mécréante, Mime Yente se serait fait un rituel personnel scandaleusement hétérodoxe — en allumant les bougies elle prononcerait le cantique du sabbat: «Repos joyeux et lumière pour les Juifs, le jour du sabbat est le jour des délices. Ceux qui l'observent et s'en souviennent peuvent en témoigner, car en six jours tout fut appelé à l'existence: les cieux des cieux, toutes les armées célestes les plus élevées comme tous les animaux, la terre et les mers, et enfin l'homme. C'est en l'éternel Dieu que l'on trouve le rocher protecteur c'est lui qui parle à son peuple élu. Observe ce jour pour le sanctifier dès son apparition et jusqu'à sa fin: c'est le sabbat jour très saint. Repos joyeux… »

Elle écouterait cette prière debout un peu agacée. Elle aurait voulu dire à Mime Yente qu'elle ne supportait pas plus les rabbins que les curés. Lisant dans le secret de ses pensées Mime Yente aurait réponse à tout.

— Écoute, c'est une façon de se souvenir qu'on est juif. N'oublie jamais.

Il faudrait lui céder. Tout cela s'arrangerait lors du repas somptueux pour l'occasion, les Râlé nattés, les boulettes de poisson, la bonne soupe chaude et le thé. Car au bout de la table le samovar de Jitomir trônerait imperturbablement tandis qu'à l'autre bout, Bilou ramasserait les miettes. La soirée passerait ainsi. Elle aimerait entendre Mime Yente raconter de vieilles histoires du Shtetl: Élie traversant la place du marché sur son âne blanc ou cette histoire attribuée au Baal Shem ou à Peretz, elle ne saurait plus.

«Un tzadik avait l'habitude de se retirer dans un coin du bois. Il faisait du feu, chantait une certaine chanson et implorait Dieu. On disait qu'en général, Dieu ne restait pas insensible à ses supplications.

Une génération plus tard, le tzadik suivant allait dans ce même coin du bois, chantait la même chanson, implorait Dieu mais ne savait plus faire du feu — ça marchait quand même.

À la troisième génération le tzadik non seulement ne savait plus faire du feu mais ne se souvenait plus de l'emplacement. Il chantait la même chanson et implorait Dieu et ça marchait quand même.

À la quatrième génération, on avait perdu et l'emplacement dans le bois, et la façon de faire du feu, et la chanson mais on connaissait l'histoire et le récit tenait lieu d'action plus exactement le récit était un acte. La mémoire chez nous est un acte. »

Elle resterait longtemps à écouter Mime Yente, à la regarder boire son thé, astiquer le samovar, bourrer sa pipe, apporter le stroudle sur la table, crier après Bilou. Joue-nous donc quelque chose au piano, dirait Mime Yente prenant son tricot en se calant dans un fauteuil sans doute lui aussi rescapé de Jitomir. Bilou aurait dressé l'oreille. D'un bond il se serait installé sur les partitions à droite du métronome. Ce soir-là elle aurait joué une sonatine de Mozart, une de ces sonatines que l'on apprend quand on est encore enfant après seulement quatre ou cinq ans de piano. Un air désuet, cristallin, enjoué, plein d'appoggiatures. Mime Yente taperait la mesure avec son pied tout en tricotant, la vieille bouffarde à demi enfoncée dans un cendrier criard acheté chez Miracle Mart.

— De quoi leur parles-tu en ce moment à tes étudiants demanderait Mime Yente se levant pour se verser une autre tasse de thé ?

— De Kulbak, lui répondrait-elle, du stroudle plein la bouche, du poème de Kulbak sur Vilna.

« Tu es une amulette sombre de Lituanie.
De vieux grimoires, moisis, sans toile.
Chaque pierre est un livre, chaque mur un parchemin.

Pages tournées, secrètement ouvertes la nuit.
Comme à la vieille synagogue, un porteur d'eau,
transi, la barbe dressée, en train de compter les
étoiles. »

Un vendredi soir à Snowdon — une profonde joie
d'être ensemble.

Guedali, le sabbat passe
Guedali, qui s'en souvient ?

Ce personnage fantôme m'échappe. Impossible à
fixer dans cette géographie urbaine, dans cet espace
mouvant. Dès qu'elle est installée, intégrée, elle s'enfuit,
déménage, et m'oblige à casser le récit alors que je
commençais à m'y installer moi-même, à y prendre goût,
à me reposer. Elle prend corps et dès lors s'enfuit, me fait
la nique. Sais-je exactement où je la conduis, perdue
entre ces conditionnels, ces présents et ces imparfaits ?
Saurais-je même en la retrouvant terminer ses bouts de
rêves, d'écriture qu'elle esquisse de Paris à la Volhynie ?
Je la connais à peine. Pourtant comme elle au début, tu
aimais ce pays, tu y respirais plus librement qu'à Paris.
Ce pays t'était apparu comme un lieu de parole féminine,
un lieu où les femmes s'exprimaient peut-être même un
lieu où elles seules avaient quelque chose à dire, à crier.
Tu avais dévoré cette littérature en avais aimé la hardiesse revendicative, la hardiesse de ton, le bonheur
d'écriture. L'écriture, sans doute le véritable pays de ces
femmes en quête d'un pays. Ici, en dehors des hiérarchies
pesantes de la France, tu serais plus relaxe dans ta peau
de femme — à part entière — égale — toi-même. Les
femmes d'ici avaient un air de liberté inconnu de toi, un
autre rapport à leur corps. Elles ne se croyaient pas
obligées de ressembler à des gravures de mode. Jeunes ou

vieilles, belles ou laides, élégantes ou vêtues sans recherche, elles semblaient dire aux hommes, dans le
métro, le bus, le long des grandes artères, à la sortie des
magasins ou des bureaux : « C'est comme ça. Si ça ne te
plaît pas, va te faire foutre. » Tu aimais leur aplomb, leur
sourire ironique, leur certitude nouvelle. Toi qui ne
marchais qu'en rasant les murs et en baissant les yeux, tu
assistais émerveillée à la naissance de cette liberté. Toi la
petite fausse Française. Sois belle et tais-toi — mais
n'ayant jamais été belle, tu avais été autorisée à titre
exceptionnel à laisser libre cours à ton bavardage. On
avait emprisonné ton corps et ici il te semblait que ton
corps t'était rendu. Une peau, des ongles, des cheveux.
Tu aimais ton corps pour la première fois. Neuve ici.
Relax — chtiler — chtiler — alors pourquoi ces caval-
cades d'un lieu à l'autre, d'une langue à l'autre, d'une
histoire à l'autre ces sauts, ces fuites, ces retours, ces
remords ?

  Dans le fond, tu as toujours habité un langage et
aucun autre ailleurs — ces petites taches noires sur le
papier que l'on lit de droite à gauche. Ces lettres finement
dessinées. Quand tu étais petite tu adorais le ש à cause
de ses trois petites pattes et le ל qui te faisait penser à
une branche de lilas. Ta mère lisait ces livres à longueur
de soirées, avec toutes ses petites taches brunes qui cou-
raient sur les lignes. Tu as toujours habité un langage,
une phonie qui tantôt sonne germanique, tantôt tinte
hébraïque, tantôt slave aussi. Un langage carrefour, errant
mobile comme toi, comme elle. Habiter un langage, une
complicité intraduisible. Tu as toujours habité un rythme
poétique, une façon de casser le vers, de briser les vases,
de larguer les amarres. Un langage à l'envers, pas comme
les autres, de droite à gauche avec des petits points que
les anciennes impressions de Vilno la Drukarnia Wyd.

Wilenskie. B. Kleckina, respectent à la lettre. Un petit
point dans le **פ** alors le f devient p, et **וו** pleins de petites
verticales **י** le i **יי** le oï, le **ן** le n final, de drôles de signes.
Ceux de ton enfance, de ta mère, de ton seul pays ce
langage. Un langage à l'envers, allant vers on ne sait
quoi. Une image graphique qui est tout un paysage. Un
langage sang, mort, blessure, un langage pogrom et peur.
Un langage mémoire.

   Le fleuve Dinour dit-on est celui du Devenir. Dans
cette fuite indéfinie des signes l'écrit s'en va tout seul
         dis-nous.   Les cris.

Dis-nous pourquoi en hébreu le visage est pluriel
                    פנם
PONIM,   Parole partagée, brisée.
          Visage multiple
          lieux multiples, disséminés.
Les stratégies du temps ne te surprendront pas.
Guedali le temps passe. Le sabbat passe.
Tu resteras l'éternelle nostalgique du Shtetl.
Quelque chose qui refuse de se mettre à l'imparfait ou au
passé simple.
Au temps des morts. Du récit.
Tout récit cache un cadavre.
Il y eut un soir. Mais il n'y eut plus de matin.
La mort n'a qu'un visage. Il est allemand
          Der Tod.   **דער טויט**
Entre les deux vocables toute la différence.
De gauche à droite. De droite à gauche.
Le Tess n'est pas le t, le **וי** n'est pas le O.

   Der tod est un chevalier partant pour les croisades
— der Ritter, décimant tout sur son passage — les elfes
de la forêt l'accompagnent et tous les dieux des

mythologies germaniques. Son épée éternellement san-
glante reste à jamais suspendue sur nos têtes

דער טויט

c'est une voix insituable qui ne souffre aucune métaphore. *Irreprésentable.*

Il n'y a pas de métaphore pour signifier Auschwitz
pas de genre, pas d'écriture. Écrire postule quelque part
une cohérence, une continuité, un plein du sens — même
dans l'absurde beckettien — même dans l'angoisse kaf-
kaïenne, le monde a encore forme, consistance — épaisseur. Rien qui puisse dire l'horreur et l'impossibilité de
vivre après. Le lieu entre le langage et l'Histoire s'est
rompu. Les mots manquent. Le langage n'a plus d'origine
ni de direction. Quel temps employer ? Il n'y a qu'un
présent éternel. Un présent qui ne passe pas. Le poids de
ces millions de morts m'étouffe. En errance d'Europe en
Amérique avec ces morts encombrants qui réclament leur
dû dans un silence assourdissant. Une sourde impatience
habite leur regard vide, terreux — vous commencez à vous
faire vieux mes amis. Oui, Magnale, tu as déjà cinquante-
cinq ans — qu'as-tu fait pendant toutes ces années ?
Transformée en pollen, graine, poussière transportée par le
vent, les oiseaux, les abeilles ? Oui, Magnale, on ne rajeu-
nit pas même dans la mort. Rassure-toi.

> On va tous mourir pour Carter
> et pour les rebelles afghans
> pour les droits de l'homme féodal
> pour son droit d'acheter et de revendre sa
> femme
> et tous ces peuples pour qui se prennent-ils ?
> Ces étudiants fanatiques de Teheran !
> On va leur montrer de quelle essence on se
> chauffe !

Des fois qu'on ne puisse plus partir en Floride
l'hiver ni faire marcher nos Chevrolet.
Monde mille fois libre
    C I A
    F B I
    R C M P
et la question 32 pour entrer aux États-Unis.
    souvenez-vous de Sacco et de Vanzetti
                des Rozenberg et
                de Fred Rose.
Consensus général.
Ici on pense coke
        seven up
        ketchup et
        Kraft dressing.
Ici on nage dans la crème sûre
dans les yogourts CRESCENT
et dans le lait Sealtest.
  On ira tous mourir pour Exxon
  et pour Somoza
    pour le Schah
    pour Thieu
    pour Stroesner
    pour Pinochet
    pour les assassins de Guevarra et de Le Tellier
    pour Begin et ses colonies en territoire oc-
    cupé.
Puisque tous les Kessinger du monde
veulent bien se donner la main
faisant ainsi autour du monde
la ronde des Pide, des Savak, de l'Apartheid
que voulez-vous? On n'a pas le choix
    c'est ça ou le goulag n'est-ce pas ?
    ici on pense   bien

on pense   droit

ici on a le sens civique

on boycotte les restaurants iraniens

ass hole khowmeny

nuke Iran.

On jette la vodka dans les caniveaux

on rêve tous de guerre mondiale

NuKez Moskow Dr Folamour.

Enfin une guerre chaude

ça manquait.

Love it or maple leave it.

Il est parfois difficile simplement de rester vivant
les yeux ouverts

en attente

à contre — courant —

dans l'ENTRE-DIT.

Son mari serait retenu à Québec presque toute la
semaine. Ses amis qui viendraient souvent la voir le soir
au coin du feu profitant de sa belle maison de Côte-
Sainte-Catherine seraient latino-américains, ukrainiens,
grecs ou hongrois — chacun apporterait quelque chose,
qui du Bikhaver, qui des olives et du féta, qui du whisky.
On passerait des soirées entières à évoquer la situation
politique ici, à se raconter des blagues à parler du travail
ou simplement à évoquer ceux qui seraient restés dans de
lointains pays. Pas de stéréotype. Les Latino-Américains
n'auraient pas de guitare, les Ukrainiens ni Kobzal, ni
balalaïka. Pas de chromo. Depuis longtemps ils seraient
ici dans la difficulté ou dans le confort. Ils seraient son
vrai pays. Les exilés, de nulle part, sans attente, parlant
toutes les langues et affrontant tous les défis historiques.
Leurs paysages par moments tricoteraient un patchwork,
bigarré. De la plaine panonnienne à la Patagonie, de la

mer Noire au Pirée ils auraient connu tous les ciels et
toutes les étoiles. Elle jouerait au piano des sonates de
B. Bartok et tous s'y reconnaîtraient — drapeaux et
hymnes nationaux entremêleraient pour eux leurs plis et
leurs accords. On les appellerait des « ethniques » pour
les différencier des Québécois et des Anglais — se
sentirait-elle bien dans sa peau « d'ethnique » les soirs où
son mari resterait à Québec ? Transformée en Juive
anglophone riant gaiement avec des Ukrainiens dont les
ancêtres auraient pu massacrer sa propre famille ? Avec
des Hongrois descendants d'anciens propriétaires
fonciers, avec des militants révolutionnaires chassés
d'Argentine ? Son mari lui reprocherait parfois — sans
méchanceté aucune — l'exclusivité de ses fréquentations.
Elle préférerait les amitiés Québec-Cuba à la Société
Saint-Jean-Baptiste, Fidel Castro à Duplessis, Guevarra à
Lionel Groulx et Rosa Luxembourg à Marguerite
Bourgeoys — chacun ses mythes, ses symboles, ses
signes. Pourtant elle chercherait par tous les moyens à
saisir la conjoncture politique, à la sentir. Il lui répéterait
jour après jour que n'étant pas d'ici elle ne pourrait
jamais comprendre. Elle aurait fini par déposer les armes.
Exclue. Seule dans cette ville-collage, cette ville-livre,
cette ville-Histoire.

Sur la MAIN. SCHWARTZ HEBREW DELICA-
TESSEN

exciting smoked meats
sizzling steak and smiles
DINDES. Oies. POULETS FUMÉS et épicés
viande fumée assortie(s) ?
viande fumée chaude.

PLACEZ VOS commandes de bonne heure pour
les fêtes.
Liqueur douce — jus de tomate.

Sur charbon de bois
    entrecôte de choix garnie
    steak de foie
tous les sandwiches
olives noires
marinade
patates frites maison
assiettée de smoked meat
Frank géant
    nash.
Notez toutes les différences, et la publicité au goût
du Québec.

        La caisse populaire
        c'est profitable...
        pour nous, Québécois.
La qualité des bonnes vodkas
c'est leur discrétion.

            Kamouraska a une qualité de plus,
            elle est bien de chez nous
          Vodka
          Kamouraska.
          Occupons-nous
          de nos oignons.
La meilleure façon de s'occuper de nos oignons est
sans contredit d'acheter des oignons du Québec.
Toujours frais
Ils vous assurent des résultats remarquables.
Ils sont faciles à reconnaître
car leurs emballages « produits du Québec »
portent tous le sigle des
        producteurs d'oignons du Québec.
Faites-vous plaisir et traitez-vous
    aux p'tits oignons... du Québec.

Laissez-nous vous chanter la pomme.

Laissez-nous vous chanter les mérites des pommes McIntosh et Cortland, les plus belles de toutes dans leur magnifique robe rouge et vert tendre. Succulentes, elles vous offrent une mordée de choix et vous mettent l'eau à la bouche.

Profitez de nos pommes — et achetez-les en sacs
belle et bonne
à croquer,
la pomme du Québec.

Le plaisir de se promener dans Outremont, d'entrer chez Lacasse voir si les coffres de pin et de cèdre sont encore là ou s'ils ont été vendus, entrer dans tous les magasins de la rue Laurier, se perdre dans les rues aux maisons somptueuses un jour de ciel bleu pâle et d'air vif. Emprunter l'avenue Dunlop, passer devant la maison de pierre avec une serre pleine de roses rouges en toute saison, arriver au parc encore frileux et revenir ensuite vers la rue Bernard, entrer à l'agence du livre français pour voir les dernières parutions de Maspero, voir ce qui joue ce soir à l'Outremont, prendre rendez-vous chez l'Auvergnat pour samedi soir, ou au Quinquet sur le boul. Saint-Joseph, rentrer tout doucement Côte-Sainte-Catherine avec un gros bouquet d'iris à la main.

Souvent le samedi, ils iraient avec des amis québécois dans quelque bistrot de la rue Saint-Denis. La mode serait au décapé. On s'activerait beaucoup rue Saint-Denis à remettre à neuf les maisons victoriennes à pignons et à enlever les vernis, les peintures pour retrouver la fraîcheur du pin naturel. Pin et dentelle, salade de noix et d'alfafa et fleurs dans des faïences anciennes. Elle les appellerait des Dekapniks avec une terminaison slave empruntée à Mime Yente qui, elle, aurait inventé le

concept de Dekapnikeit pour caractériser l'atmosphère de
la maison de la rue Sainte-Catherine — rue Saint-Denis
du sud au nord de Maisonneuve à Ontario sur le trottoir
est.

VILLAJOIE   CAFÉ
1887.   Bar restaurant
MAUVE boutique.

Charles E. BILLARD
fils et métier à tisser
L'Alternatif.

La chasse galerie
articles de cuir
TANGO
TWIST

La GALOCHE   café
le Saint-MALO   Restaurant français
le jardin Saint-Denis
BENOÎT BENOÎT : examen de la vue
BAR PICASSO : restaurant   Le bistrot à JOJO
ÉPICERIE. DURETTE. LICENCIÉ.
SALON DES CENT. BAR
LA BOÎTE À SON

Les JEANS SAINT-DENIS
RÔTISSERIE DU CAMPUS
NAPOLI PIZZERIA
MIKES SOUS-MARINS
LA COUR SAINT-DENIS
Librairie L'ÉSOTÉRIQUE
PATRIMOINE SAINT-DENIS
BAR LES RETROUVAILLES
DISCO IN
AU VIEUX du VIEUX
RESTAURANT VIETNAMIEN

DA CIRO RESTAURANT
LIBRAIRIE ROUGE
pièces de motos toutes marques
STRIPTEASE L'AXE.

TOPLESS. DISCO SEX.
LE PAVILLON DES ARTS
MATÉRIEL d'artistes
LE CELTIQUE : crêpes bretonnes
LA Revue du Grand Québec
LIBRAIRIE DEOM
FORT-NET NETTOYEURS.

Le village. Un quartier latin près de l'Université du Québec. Des noms familiers. Quartier latin, Saint-Denis et pourtant. Elle se sentirait au fond de ces cafés beaucoup plus dépaysée que sur la Main. Le langage, les noms propres seraient des pièges. Elle le sentirait. Dès qu'ils prendraient possession de ces lieux, elle voudrait fuir, partir sur la Main, ou à Snowdon chez les Lituaniens, les Hongrois, les Portugais, les Juifs. Ce serait des discussions sans fin sur les perspectives politiques. Elle essaierait de comprendre mais on la mettrait entre parenthèses. Elle ferait la moue. Il n'y aurait pas en Amérique du Nord de second Cuba. Elle en aurait le cœur déchiré.

Pasteur. Près de la rue Lecourbe et de la rue des Volontaires. Une campagne électorale une fois dans un préau d'école. Nous étions cinq contre la guerre d'Algérie — on a fini la soirée un peu triste au bistrot du coin — au comptoir le propriétaire faisait l'éloge de Massu et des paras. Il faisait froid —

❏

Tout cela n'est pas crédible. Les rhododendrons ne poussent pas à Montréal. Si son mari avait vraiment été

sous-ministre, ils auraient habité une belle maison à
Sillery. Elle-même aurait dû recevoir à longueur d'années, entrer vraiment dans la peau «d'une-femme-de-
sous-ministre». Ils n'auraient conservé qu'un pied-à-terre
à Montréal. La maison de Côte-Sainte-Catherine elle-
même, un peu trop luxueuse pour le milieu social. Il aurait fallu le changer de métier et les installer dans le
moyen Outremont, dans une maison un peu plus modeste,
la façade donnant à l'est, les galeries encombrées de lilas
ouvrant sur un jardin plus classique où s'épanouiraient
des roses et des pivoines, des haies de chèvrefeuille, des
campanules et de la véronique. Qu'importe! Pour accrocher l'imaginaire d'une immigrante, il n'est pas nécessaire de coller au réel. Soit. Il serait psychiatre ou psychanalyste, ou les deux à la fois. La maison à pignons aurait
trois niveaux en comptant l'entresol aménagé. De
grandes galeries de bois ajouré recevraient le soleil du
matin. On entrerait par une double porte décapée aux
vitraux mauves et bleutés. On descendrait à l'entresol, en
réalité très clair, qui serait aménagé en salon de praticien,
salle d'attente et salle d'eau. Au rez-de-chaussée, un
grand salon à marqueterie ouvrirait sur la salle à manger,
la cuisine et le jardin. On monterait au premier par un
escalier de pin à la rampe finement travaillée, jusqu'aux
quatre chambres et à la salle de bains.

Elle aurait fait placer son piano bien en vue dans le
salon en face d'un canapé de velours bleu. Ils auraient
acheté un tapis de laine ancienne, également à dominante
bleue. Une vieille commode en pin supporterait des
lampes «art nouveau» et quelques bibelots rapportés de
voyages exotiques. La Menorah, que Mime Yente lui
aurait donnée serait posée sur le manteau de la cheminée
dressant de façon altière ses sept branches de bronze
argenté. Il y aurait des fauteuils à bascule, une bergère et

au mur des reproductions et lithographies de l'expressionnisme allemand. Marlène Dietrich dans l'ange bleu,
les chevaux bleus de Franz Marc et un Nolde violemment
coloré. Dans la salle à manger, une table québécoise
ancienne et six chaises ainsi qu'un vieux bahut tout re-
tapé, mais authentique, achetés à l'antiquaire de l'avenue
Greene, faisant face à un vaisselier normand. Des pote-
ries de l'époque révolutionnaire rapportées de France
figureraient, le patriote, le révolutionnaire, l'ami de la
constitution, Marat, sur fond bleuté. Le tout serait sobre,
respirant une aisance sans ostentation, le bon goût des
gens cultivés qui ne connaissent rien des classes sociales
et n'ont pas de problème de fin de mois. Elle aurait aménagé le haut à son goût, le laissant régner à l'entresol.

Son bureau donnant sur le jardin, recevant les
rayons un peu tristes du soleil couchant, serait spacieux et
fonctionnel. Une ancienne table de couvent pour bureau
au milieu, et tout autour des étagères de pin, des meubles
métalliques pour ranger les dossiers. Elle n'aurait laissé
qu'un espace près de la fenêtre pour y mettre un portrait
de Kafka et un autre de Peretz Markish, aimant contem-
pler les yeux sombres de l'un, la tignasse ébouriffée de
l'autre. Des livres partout, des dossiers empilés dans un
équilibre instable, des crayons, des stylos. Dans un coin,
une table basse avec une I.B.M. électrique. Dans un autre
coin, un guéridon de noyer avec un grand bouquet de
fleurs variant suivant la saison, dans le même vase bleu
acheté autrefois à Prague. Un tapis brun au sol et un fauteuil à bascule. Des lampes en grand nombre, une pendule. Quelque chose qui tiendrait du capharnaüm baroque
mais où elle se retrouverait. Chez elle. À côté du bureau,
leur chambre ressemblant à des milliers de chambres de
l'upper-intelligentsia montréalaise. Un grand lit queen-
size dans un coin, des tables de nuit en pin, une vieille

armoire décapée, une commode ancienne à boutons blancs de chez Lacasse et un tapis moderne de laine beige, un patchwork californien sur le lit et aux fenêtres des rideaux de dentelle crème tamisant le soleil de l'après-midi. Les chambres à l'est seraient à peine aménagées. En revanche, on remarquerait dans la salle de bains toute carrelée, un miroir ovale placé horizontalement conférant à la salle d'eau un petit air vieillot.

Au pied de la galerie, en façade, il y aurait des lilas, des rosiers, du genévrier. Le jardin serait sa gloire secrète. Elle y veillerait quotidiennement aimant à voir sortir au printemps les crocus, les narcisses, les jonquilles et les tulipes, attendant juin avec impatience pour l'aubépine et les lilas, se délectant l'été devant les iris, les coquelicots, les roses et les pivoines, charmée l'automne par les chrysanthèmes de toutes couleurs. Elle y passerait de longues heures à la belle saison, à traduire les écrivains juifs soviétiques des années vingt et trente. Elle aurait été bouleversée par une réplique d'un personnage de D. Bergelson dans une de ses nouvelles. Un vieux Juif revient dans son village natal après la guerre. Il est le seul survivant. Il rencontre une jeune fille, elle aussi survivante du massacre. Il lui parle en yiddish, elle traduit ses mots en russe. Quand elle lui demande si sa traduction est bonne, il répond :

« Que dire ? Les souffrances, elles, elles étaient en yiddish ! »

Il aurait aménagé l'entresol, en réalité fort clair et spacieux en bureau où il recevrait ses patients. Les murs auraient été blanchis à la chaux pour rendre la lumière plus vive. Quelques toiles de peintres naïfs achetées rue De Seine à Paris et quelques toiles de peintres québécois réputés montrant des paysages d'hiver : pieux noirs dans l'infini de la neige. Un divan de cuir prolongé d'un fauteuil marine, et plus loin une table de noyer encombrée de

dossiers et d'objets divers. Juste à côté du bureau, la salle
d'attente avec des fauteuils bistro, une table de marbre
sur laquelle de grands bouquets inviteraient à la rêverie.
Une autre table avec des journaux et des revues. Une hor-
loge ancienne à pendule de cuivre ferait penser aux toiles
hollandaises du XVIIe siècle. Lui répondant comme en
abyme au mur, la reproduction d'un Vermeer. C'est là
qu'attendraient ceux qu'un mal de vivre rongerait jusqu'à
l'impossible.

Ils auraient quotidiennement de longues discussions
sur la politique internationale et le Québec et elle ne
saurait pas comment lui faire part de son désarroi.

>Watcher la game?
>Se mettre en dehors
>>entre parenthèses
>>entre.

Elle sentirait qu'elle ne pourrait jamais tout à fait
habiter ce pays, qu'elle ne pourrait jamais tout à fait
habiter aucun pays.

>>Pas de lieu, pas d'ordre.
>>Mémoire divisée à la jointure des
>>mots
>>Les couches muettes du langage,
>>brisées
>>La parole immigrante en suspens
>entre
>>deux HISTOIRES.

>Passer de l'autre côté,
>>de passage.
>Ceux de par-delà.
>Le passé débandé.
>Guedali la nostalgie ne doit pas être un retour.

Tu aimais, l'été, venir t'allonger sur la pierre en face de la bibliothèque et te laisser aller, les lettres à Milena de Kafka te servant d'oreiller, juste au-dessous du grand érable dont les feuilles d'un vert transparent dentelaient le bleu du ciel. Un bleu intense dans la chaleur épaisse presque visqueuse. Tout près sur l'herbe des joueurs de baseball, plus loin la rumeur de Sherbrooke. Par moments, le vent faisait trembler les feuilles de l'érable, la plupart du temps, c'était l'immobilité bleue. Tu te laissais pénétrer par les terreuses pensées de l'autre côté de la mer, puis tu revenais à la bibliothèque. Matérialité des livres, les toucher, les emprunter, les sortir. Repérer les passages connus, se sentir en sécurité au milieu des livres. Savoir ancien accumulé, imprimeries de Vilno. La mort habite cette langue, une langue sans avenir avec ce passé trouble qui colle aux lettres fines, une langue sans présent, figée dans son Shtetl démembré, une langue à vau-l'eau, sans destin. La mort habite cette langue métamorphosée en langue sacrée, elle, la langue des pauvres, la langue du peuple, la langue des bonnes femmes. Savoir accumulé sur les rayons au 5e étage de la bibliothèque. La langue est là avec son alphabet, sa syntaxe, son vocabulaire, ses dictionnaires, sa littérature, ses critiques. Mais plus personne pour y vivre la quotidienneté, pour y lover ses pensées secrètes, ses points d'impossible.

Guedali pour qui écrire ?

N'importe où dans la ville-étau. Toujours ces musiques stridentes ou le grand calme de l'hiver, ces odeurs d'épice ou de maïs soufflé, toujours la relish cheap ou les cafés à macramé. Autant rester à N.D.G., autant ne pas bouger.

ERRER.

On achète sa crème glacée chez *Tito Expresso Bar*.
On achète ses salades chez *Primo* et son jambon chez
Henry. On va faire nettoyer ses habits chez le Juif
polonais du coin en face de l'arrêt d'autobus. Autant ne
pas bouger et oublier ainsi tes fatigues, tes moments de
regret, d'impatience, de nostalgie, tes difficultés
passagères ou durables, tes paniques devant la fuite des
lignes hivernales. Autant ne pas bouger.

ERRER.

Noter toutes les différences, faire un inventaire, un
catalogue, une nomenclature. Tout consigner pour donner
plus de corps à cette existence. Tes menus faits et gestes.
Tes rencontres, tes rendez-vous, tes itinéraires. Ne rien
oublier. Ne pas oublier le menu de *L'omelette Saint-
Louis*.

L'omelette Émile Nelligan (jambon — fromage — tomates — oignons)	2,95
L'omelette de la Bolduc (jambon — fromage — sirop d'érable)	3,10
L'omelette Olivier Guimond (bacon — jambon — fromage — oignons — muscade)	3,25
L'omelette Amanda Alarie (bacon — tomates — oignons — fines herbes)	2,75
L'omelette Marc-Aurèle Fortin (foies de poulet — bacon — tomates — fines herbes)	3,15
L'omelette Osias Leduc (foies de poulet — tomates — épinards)	2,95

L'omelette Saint-Louis   3,95
(bœuf haché — champignons — fromage —
oignons — piments verts — fines herbes)

L'omelette Marie-Victorin   3,25
(poulet — champignons — tomates — fines herbes)

L'omelette Théophile Hamel   2,75
(poulet — amandes — poivrons)

L'omelette Paul-Émile Borduas   2,95
(thon — tomates — oignons — fines herbes)

L'omelette Arthur Villeneuve   3,75
(thon— tomates — champignons — fines herbes)

L'omelette Jean-Paul Lemieux   3,75
(crevettes — ail — crème sûre — persil)

L'omelette Antoine Plamondon   3,85
(crevettes— asperges — tomates — fines herbes)

L'omelette Lionel Groulx   3,95
(crevettes — avocats — crème sûre)

L'omelette Jos Monferrand   3,25
(avocats — graines d'alfafa germées — crème sûre)

L'omelette St-Denys Garneau   3,50
(asperges — jambon — fromage)

L'omelette Félix-Antoine Savard   2,85
(zucchinis — tomates — bacon)

L'omelette Catherine Tekakwitha   4,15
(pétoncles — champignons — fromage)

Elle viendrait régulièrement à Snowdon, voir Mime
Yente, tous les vendredis soirs. Elle se mettrait au piano,
y resterait longtemps. Bilou viendrait s'installer sur les
partitions en haut à droite ronronnant pour réclamer du

Chopin. Elle jouerait des vieux airs ukrainiens ou hongrois pour que le passé enfoui au plus profond puisse faire irruption. Mime Yente bien calée au fond de son fauteuil, sa pipe d'amsterdamer à la main, près du samovar de Jitomir, toujours entre deux tasses de thé, fermerait doucement les yeux. Elle lui en voudrait parfois de rappeler à la vie les ombres mortes. Elle se laisserait bercer, sachant que sa nièce, aimant à la folie Budapest et sa lumière, n'accepterait pas de renoncer à ses mélodies populaires. Janos autrefois dans l'île Marguerite et la cafétéria près du Pont des Chaînes, les senteurs de feuilles mortes, autrefois. Bilou gagné lui aussi par l'émotion finirait par s'endormir en pelote en haut à droite sur les partitions. Elles ne seraient pas bavardes, laissant s'installer entre elles les tournesols de Jitomir et les automnes lumineux et frais du Danube. Exilées toutes les deux, un peu perdues au milieu du samovar de Jitomir. Jitomir sur la rivière Teterev.

Guedali qui s'en souvient ?

Que leur enseignes-tu à tes étudiants en ce moment, demanderait Mime Yente allant chercher son tricot resté sur le buffet. Un poème de Moshe Kulback sur le Berlin des années 1920.

> « Oui, je suis malade Mademoiselle,
> Comme ce siècle étrangement souffrant.
> Je m'étonnais naguère moi aussi
> Quittant d'un bond la maison paternelle,
> Fougue de jeunesse, audace, insolence,
> un peu de Blok et de Schopenhauer.
> Peretz et la Kabbale et Spinoza,
> le déracinement et la tristesse.
> Et l'on attend des années quelque chose :
> tout sera bientôt éblouissement,

mais l'on ne voit pas passer la jeunesse,
on reste assis, on n'a que du néant. »

Été comme hiver, ils emmèneraient Mime Yente dans un chalet qu'ils auraient loué à l'année à une heure et demie ou deux heures de Montréal en voiture. Elle aurait tout de suite aimé la masse violette du lac agité par le vent, l'âpreté du bois de bouleaux à l'entour. Elle aurait su tout de suite qu'elle allait apprendre à apprivoiser cette lumière pâle dans les lointains. L'hiver ce serait de longues randonnées en raquettes sur le lac. Ils reviendraient épuisés, grisés, happés par le silence. Ils aimeraient voir la saignée du soleil sur l'étendue glacée en fin d'après-midi. Mime Yente les attendrait, une soupe fumante sur la cuisinière, une de ces soupes de Jitomir dont elle avait le secret. Elle ne donnerait jamais ses recettes. Elle aurait mis quelques bûches dans le foyer du grand salon et une longue soirée d'hiver commencerait ainsi, lente, intime, douloureuse. La nostalgie de Jitomir la gagnerait à des années de distance. Pas de Londres où elle aurait tant lutté avec Moshe, pas de Paris où elle serait allée témoigner au procès de Schwartzbard — non de Jitomir sur le Teterev, de la maison paternelle à une verste de la ville, une petite maison blanchie à la chaux perdue au milieu des tournesols, écrasée de soleil avec en arrière une aire où l'on construisait des cabanes de branchage pour la fête de Soukkot. Des jardins à l'entour, la ville à une verste de là. Il y a longtemps, très longtemps. Elle essuierait une larme entre deux bouffées de pipe en regardant le lac gelé.

« Je ne reverrai plus jamais Jitomir, je suis trop vieille à présent. Il y avait là-bas tout près des grands acacias, un cimetière juif, des stèles de tous formats taillées dans un beau calcaire. »

« Ah ! dirait-elle la voix étranglée. C'est mort tout ça. Peut-être que la maison aux volets jaunes existe toujours, peut-être. »

Il faudrait la rassurer. Bilou grimperait sur ses genoux, et elle, sa nièce un peu désemparée, gagnée par l'angoisse, loin de son piano devrait lui promettre aux prochaines vacances de l'amener à Jitomir, Jitomir en Ukraine, Jitomir en Volhynie, Jitomir sur le Teterev.

Parfois au milieu des collègues, des amis, elle serait prise d'une grande panique. Cela pourrait lui venir en taxi, en autobus, au restaurant ou en traversant la rue. N'y a-t-il rien d'universel ici ?

DES GHETTOS
    DES CLIVAGES
CHACUN SA LANGUE
   SA COMMUNAUTÉ
CHACUN SON QUARTIER
     SON DÉPUTÉ.
SES GÂTEAUX. SON JOURNAL. SA RELIGION
   SON FOLKLORE, SES POMPONS.
CHACUN SON HISTOIRE
     SEULS
  À PART
NOUS.   VOUS.   EUX.

N'y a-t-il rien d'universel ici?
Ciels clivés au raté de l'Histoire
         au raté de l'exil
solitudes mauves dressées les unes contre les
       autres les unes en face des autres.
     Comme le ciel est loin et quel silence givre sur les branches !
Le texte bruit des imaginaires gelés.

Dis, grand-mère, le monsieur à la télé pourquoi il a de si grandes dents ?

C'est pour mieux te manger mon enfant.

Ce qui est bon pour Bombardier et Desmarais, est bon pour le Québec.

N'y a-t-il rien d'universel ici ?

Au plus épais de la foule pourtant, ni bleu, blanc, rouge, ni cocorico, ni marseillaise militaire. Tu attendais. Quoi ? Le beau Che de ton adolescence. Le manque. À l'écoute. Il y aurait une fois encore des pays de mimosas. Peut-être !

N'y a-t-il rien d'universel ici ?

Profitant de quelques grèves, elle aurait repris ses faux messies.

Mortre Himmelfarb, Mortre couleur de ciel

n'en finirait pas de préparer son cours. Quarante-cinq heures sur Sabbatai Zevi. Rêvassant dans son bureau, en haut de la maison qu'il occuperait dans le quartier de l'Université McGill, le vieil asthmatique chercherait des détours.

Ish Hayabi. Il était une fois. S'ils croient que c'est si simple, raconter une histoire, raconter l'Histoire. Il y a eu d'autres dingues dans l'histoire juive que Sabbatai Zevi, d'autres pauvres types ou génies un peu cinglés qui se prenaient pour le messie, d'autres semeurs de merde faisant se révolter les pauvres, les veuves et les orphelins. La crève. Avec mon état de santé ! Mes crises d'asthme ! Rester devant le bureau de pin, juste sous la fenêtre d'angle. Un bon café très chaud. Le dimanche matin, un bon café avec des grosses tartines de cream cheese et de saumon fumé ou de poisson blanc. Dehors la neige. Tous

ces dingues de l'Histoire ! Je me sens bien, Mortre couleur de ciel cafard, un peu blafard, a de la tendresse. Il
s'émeut. Mais ce maudit cours lui fera rendre l'âme.
Pourquoi ne pas leur parler de David Reveni et de Salomon Molcho ? Pourquoi ne pas revenir en arrière, en leur
montrant que Sabbatai n'est pas le premier ? Pourquoi ne
pas s'intéresser à ces deux lascars dont l'un a fini tragi-
quement sur le bûcher par ordre de Charles Quint. Ah
Charles Quint ! Bien entendu ne savent rien, ni quel
siècle, ni quelle dynastie, ni quel pays. Charles quinte de
toux ! Charles petit Quin quin ! Charles Quint et Sens, ne
savent rien. Faudra tout leur dire, et le jeune prince de
Gand, et l'élection impériale, le fric des Fugger et tout et
tout. Habsbourg. Le Saint Empire. La diète, une leçon.
Jeanne La Folle, du pittoresque, une leçon. Soleman II,
aux portes de Vienne, une leçon. Charles Quint et les
protestants et Luther jetant son encrier sur le mur de la
Wartburg. Bon, ça va peut-être les intéresser, je ne sais.
La neige, rester bien au chaud dans mon bureau, dans ma
robe de chambre, des piles de livres à droite et à gauche
avec du café bien chaud et l'Empire sur lequel le soleil ne
se couche jamais en face chez Carlos Quinto, non pas le
roi de la paella, ni de la pizza, non, chez l'empereur. Ne
savent rien. Faudra tout leur dire et Yuste, et la guerre
contre François Ier et le sac de Rome. Et le portrait du
Titien. Et les Juifs là-dedans ? Patience. Nos deux sauveurs complotent dans l'ombre, Natacha, tu m'aideras à
mettre un peu d'ordre dans mes idées. Fucké, magané le
vieux Mortre. Ne sait plus très bien comment écrire
l'Histoire. Il était une fois un jeune Portugais, promis à
un brillant avenir, né de parents maranes et qui se mit à
étudier la Kaballe en secret. Ne pas oublier de dire que ça
se situe au début du XVIe siècle. Très important les repères chronologiques ! Brosser un tableau de l'Europe

méditerranéenne au XVIe siècle. Carte au tableau, petit arsenal pédagogique, une leçon. Reste quatorze leçons. Une tempête de neige, une crise d'asthme ou une grève. Reste treize leçons à meubler. Natacha aide-moi. C'est long. Il neige. Il rencontre dans sa jeunesse un autre jeune homme, un peu tarte, qui se dit descendre du roi Salomon via les tribus de Reuben. Arrêt. Ne savent rien, faudra tout leur dire. Salomon passe encore, certaines tribus, je dirai, dix tribus en tout s'étaient perdues dans le désert de l'autre côté de la rivière Sambatyon, une rivière impossible à franchir. On devait les retrouver ces tribus au moment du retour du messie précisément. Alors, il y aurait trois jours de nuit sur Constantinople mais de la lumière dans les demeures des fils d'Israël. Prendre une voix solennelle, entrer dans la légende. Le messie reviendrait du pays des tribus exilées de l'autre côté du Sambatyon. Il serait monté sur un lion céleste dont la bride serait composée d'un serpent à sept têtes, et du feu sortirait de sa gueule. À ce signal, tous les Rois et toutes les Nations s'inclineraient devant lui. Il arriverait à Jérusalem près du mur occidental là d'où, dit-on, la présence divine ne s'était jamais éloignée. Ce jour-là, tous les Juifs morts en Palestine ressusciteraient, les autres morts en Diaspora ressusciteraient quarante ans plus tard. Leur montrer que réel et légende se mêlent, que les Juifs y croyaient. Une belle histoire, une leçon. Reste douze leçons sur les faux messies du XVIe siècle. La crève. Avec mon état de santé. Natacha, toi si loin, si loin! Ils se rencontrent. Diegos Pines, le Portugais, veut se faire Juif. Il change de nom. Molcho Melech. Le roi, veut se faire circoncire. L'autre, Reveni l'en dissuade. Il paraît qu'il se serait circoncis lui-même. Brouhaha dans la classe, peut-être passer cet épisode. Se met à voyager, commence à se croire investi d'une mission divine.

Étudie le Talmud, prêche, rassemble des disciples,
soulève les foules. L'autre, pendant ce temps-là, raconte
ses voyages fabuleux. Capturé, vendu en esclave à des
Arabes qui l'amenèrent à Alexandrie, d'où il aurait été
racheté par des Juifs. Lui aussi commence sa propagande
messianique. Se disait l'envoyé du roi des tribus d'Israël
perdues de l'autre côté de Sambatyon. Une leçon pour les
voyages, les récits fabuleux. Reste onze leçons. Bien au
chaud. Le dimanche matin, à mon bureau, avec du café
très chaud, des tartines de philadelphia cream cheese avec
du saumon fumé ou du poisson blanc, bien au chaud, à la
fenêtre d'angle, juste à la hauteur des dernières branches
de l'érable. Natacha, tu m'aideras. Un deux-pièces je
crois. Maman étale sur du pain au cumin de la graisse
d'oie. Je pars au Hader. Il fait noir. Sur le chemin, je dois
m'éclairer avec une lanterne dont la flamme vacille
quelque peu. J'ai peur. Si l'ange de la mort aux mille
yeux allait venir me chercher ! Disait que pour accélérer
la rédemption, il fallait déplacer une certaine pierre du
mur occidental et qu'il était le seul à pouvoir le faire.
Vint à Damas, revint à Alexandrie, s'embarqua pour
Venise, arriva à Rome en 1524 sur un cheval blanc et fut
reçu par le pape Clément VII. Disait être le commandant
en chef de l'armée de son frère à la tête des dix tribus
perdues de l'autre côté du Sambatyon. Proposa au pape
un traité d'alliance contre les musulmans en échange de
lettres pour le royaume du prêtre Jean, pour Charles
Quint et François Ier. De riches notables juifs lui
procurèrent de l'argent, une bannière de soie brodée des
dix commandements. On pouvait donc les entortiller les
souverains, les papes alors, jouer de leurs contradictions,
savoir s'immiscer dans les failles, la moindre fissure.
Savoir jouer de la légende, de l'attente du messie. Mortre
couleur du ciel s'enfarge. Ne savent rien. Faudra tout leur

dire. Que le mystérieux royaume du prêtre Jean était l'Éthiopie, que Clément VII n'était pas n'importe qui mais un Médicis, neveu de Laurent le Magnifique. Rien à voir, je dirai avec la rue Saint-Laurent, non. Un vrai pape qui excommunia Henri VIII d'Angleterre, un vrai pouvoir, le pape. Pas n'importe qui. Un chef de guerre aussi. Un chef d'État. Interrogation écrite. Vous avez deux heures. Charles Quint abdique. Il en a marre. Il laisse tout à son frère Ferdinand et à son fils. Il en a marre. En dix pages vous expliquerez pourquoi, vous n'avez pas le droit de vous servir de vos notes. Il faudra vous souvenir des dates principales. L'Histoire, les dates, et silence s'il vous plaît. Une leçon pour l'interrogation écrite. Et nos deux sauveurs ? Patience. Depuis le temps que les Juifs attendent le messie, ils peuvent bien attendre encore un peu. Pendant que Reveni cherchait la pierre qu'il fallait remuer au mur occidental pour hâter la rédemption, pendant qu'il levait une armée en déployant sa bannière aux dix commandements, Molcho lui, prêchant et se convainquant qu'il était le messie, avait prévu le sac de Rome. Il y voit un signe des temps. Là il me faudra une leçon entière pour Molcho — Élie, la belle histoire ! la belle Histoire ! Molcho, le messie, s'habille en mendiant. Pendant trente jours et trente nuits, presque sans rien manger, il reste avec les infirmes, les malades sur le pont du Tibre, juste en face du palais papal, ou se tient à la porte des églises. Ça devrait quand même leur rappeler quelque chose. Vous savez, la coupe qu'on remplit le soir du Seder de pâque et qu'on ne boit pas, la coupe d'Élie le prophète, et la porte qu'on laisse entrouverte au cas où Élie reviendrait comme il l'a promis, revêtu en mendiant, pauvre parmi les pauvres. Malheur à qui ne le reconnaîtra pas et ne lui fera pas l'aumône. Vous savez. Cette belle chanson qu'on chante au Seder de pâque. Eliaou, Hanovi !

Là ils se mettent tous à chanter. Ils sont contents et le vieux Mortre aussi. Ça prend toujours un quart d'heure et, au moins, ils connaissent. Ils ont des repères. Natacha tu m'aideras à mettre un peu d'ordre dans tout ça. Le vieux Mortre n'en peut plus. La légende, l'Histoire. Comment départager avec tous ces messies, tous ces récits. Où est le vrai ? Le vrai quoi, le vrai messie ? Il était deux fois. D'abord ils sont deux. Reveni et Molcho. Ensuite Molcho est monté deux fois sur le bûcher. Accusé par l'Inquisition de judaïsme, il est condamné au bûcher en 1531. On apprend sa mort. Le peuple pleure incrédule. Lui, le messie, infaillible qui sut prévoir le tremblement de terre du Portugal et les inondations de Rome, lui mort ? On le retrouve en Italie du nord l'année suivante. On apprend que l'intervention personnelle du pape l'avait sauvé et qu'on avait brûlé un autre homme à sa place. Dévier ici sur les mœurs de l'Inquisition, sur les grands qui avaient chacun leurs bons Juifs. Après tout Charles V n'avait-il pas étendu aux Juifs de l'Empire les privilèges des Juifs d'Alsace après la dispute entre Margarita et Gershom de Rosheim ? Je ne sais plus compter les leçons. Prévoir encore une quinte de toux, une crise d'asthme. N'abandonner nos deux héros qu'après leur mort, les suivre pas à pas à travers leurs chevauchées, leurs intrigues un peu folles, leur espoir. Reveni fut accueilli triomphalement au Portugal où le roi le reçut presque comme un ambassadeur. Les maranes se précipitèrent pour embrasser ses mains. N'était-il pas l'annonciateur de la venue du messie ? Il avait au long des routes semé d'immenses espoirs. Il avait cherché à lever une flotte juive pour prendre Jérusalem. Molcho, lui, continuait sa propagande apocalyptique. Natacha les idées se brouillent dans ma tête. Sans ordre, ni logique, ni chronologique, ni logis. Je ne sais plus. Ils vont tous rire de moi. En 1532, oui j'en étais en 1532. Molcho sa bannière déployée, avec des inscriptions hébraïques dans un triangle doré se rend à Ratisbonne. Il veut parler avec l'empereur. M'arrêter ici peut-être, expliquer que jusque-là nos deux compères ont bien des protections, le pape, le roi du Portugal. Pourquoi pas l'empereur ? Le plan de Molcho c'était d'obtenir que Charles V appelle les Juifs à se battre contre les Turcs. Ils lèveraient une armée et une flotte, prendraient Jérusalem, rempart de la civilisation contre le péril musulman. Depuis longtemps, ils l'agitaient cette idée. Faux messie peut-être mais faux messie politique. À partir de là, l'Histoire se gâte, dérape. Reveni se heurte à la noblesse portugaise. Il doit fuir. Il est emprisonné en Espagne. Il s'échappe. Il est emprisonné en Provence, est libéré après que la communauté juive d'Avignon et de Carpentras eut versé une rançon. À nouveau arrêté en Espagne en 1532, il meurt en 1538, très seul n'ayant pas réussi à trouver la bonne pierre du mur occidental. À Ratisbonne, l'empereur préside la Diète. Il fait arrêter Molcho, d'autant plus promptement que sa réputation n'a plus de frontière. Les pauvres le tiennent pour le messie et pas seulement les Juifs. Après avoir refusé de se convertir au christianisme Molcho est brûlé à Mantoue en 1532. Encore une fois on croit qu'on a choisi quelqu'un d'autre à sa place, qu'il est sain et sauf, que sur son cheval blanc avec Reveni brandissant leurs bannières, ils galopent vers Jérusalem annoncer la nouvelle et déplacer la pierre du mur occidental. Le peuple attend.

Il attendra Natacha !
Il attend encore !

Il était une fois. De belles histoires. Raconter des histoires ou raconter l'Histoire....................

Le ciel remue
Il court, désancré,
L'ancien souffle lyrique est mort.
Le squelette des mots morts suffoque
dans l'été visqueux.
ville d'ombres !
le cœur cogne contre les mots qu'on ne peut inventer
toujours au bord.
vains détours,
vains départs,
vains retours.
Il y eut un soir, il y eut un matin
              sans fin,
              le Rien,
le cœur cogne sans fin
au plus épais de la foule
              glauque,
ville rouille.
              Demandez-lui n'importe quoi
              ou presque.
Après Grenelle je ne sais plus
la ligne se perd dans ma mémoire
l'opération s'appelait vent printanier
autour de la rue du Dr Finlay
        de la rue Nocard
        de la rue Nelaton
dans le XVe arrondissement.
Il faisait beau ce Finstere Donerchtig
ce jeudi sinistre
ce 16 juillet 1942.
Guedali qui s'en souvient.
Les ciels sont si fragiles là-bas.
Les bruits s'absentent

c'est de nouveau le même ciel.

Soirs à hurler.

Fatigues.

La lumière n'appelle plus.

Comment leur histoire se serait-elle terminée ? Je ne sais. Un jour, elle aurait décidé de partir. Mime Yente n'aurait même pas envisagé de la retenir. Elle aurait pris un 747, Air-France, départ de Mirabel à 20 h 45. Les livres et les effets personnels suivraient en fret aérien, certains meubles en container par bateau.

Elle aurait repris le métro. Jusqu'à Grenelle.

La France aurait changé.

Pas d'ordre. Ni chronologique, ni logique, ni logis.

Les articulations sont foutues.

Il n'y aura pas de messie.

Il n'y aura pas de récit.

Rien n'aura eu lieu,

aucun lieu,

tout juste une voix plurielle,

une voix carrefour,

une voix de l'autre au brisant du texte

la parole immigrante.

III

Autour du marché Jean-Talon

Près de l'Alexanderplatz, on met la chaussée sens dessus dessous : travaux pour le métro. On circule sur des planches. Les tramways sont déviés. Il y a des rues à droite et à gauche. Dans les rues, des maisons et encore des maisons. Remplies de monde, de la cave au grenier. Des boutiques au rez-de-chaussée.

Buvette, restaurant, fruits et légumes, peintres, décorateurs, confection pour dames, farines et minoterie, garage, société d'assurances. Les avantages de la petite pompe à essence : construction simple maniement facile, volume réduit, poids léger — concitoyens allemands, jamais peuple n'a été plus odieusement roulé, jamais nation ne fut plus odieusement, plus injustement dupée que le peuple allemand. Vous souvient-il, le 9 novembre 1918 de Scheidemann promettant du haut des fenêtres du Reichstag, la paix, le pain, la liberté ? On l'a bien tenue, la promesse ! — Confort moderne, salles de bains. — faites nettoyer vos vitres : on s'abonne ici. La santé par le sommeil :

literie « La merveilleuse ». Librairie, la
bibliothèque de l'homme moderne. Ce
sont les grands écrivains représentatifs
de l'esprit européen. Nos éditeurs
d'œuvres complètes; les poètes et pen-
seurs de premier plan — la loi sur la
protection des locataires est un chiffon
de papier — les loyers montent sans
arrêt. La classe moyenne est expulsée,
étranglée, ruinée, l'huissier ne chôme
guère. Nous demandons des crédits
(15000 mks) pour le petit commerce et
l'interdiction de toute saisie chez les
petits négociants — Mères futures,
préparez-vous ! Maltine du docteur E…
Agréable, digestive, nutritive, forti-
fiante — vous riez, vous riez de joie, si
vous possédez un intérieur meublé par
la maison Höffner… Tout ce que vous
pouvez rêver d'un chez-soi agréable est
enfoncé par cette réalité insoupçonnée.
Les années passent mais l'aspect des
meubles Höffner reste plaisant comme
au premier jour.
Société Securitas protège tout, équipe
des veilleurs, Berlin, banlieue et au-
delà, Alarme-Berlin, Alarme Allemagne, Société Sherlock, Sherlock
Holmes, œuvres complètes de Conan
Doyle. Alarme de l'ouest, Alarme-
citoyens…

ALFRED DÖBLIN,
Berlin, Alexanderplatz

J'avais essayé. Encore. Mais je le savais. Cela devait mal se terminer. Autant la rendre aux ethniques, aux métèques avec lesquels elle est si bien. Ni à Outremont, ni à Westmount. Le Côté des Swann aussi fermé que celui des Guermantes. Allons bon! J'avais essayé pourtant. Impossible de faire le tour de cette ville, de l'assimiler, de se l'incorporer. Impossible simplement de s'arrêter quelque part, de poser son balluchon, de dire ouf! Tu aimais toi aussi, comme elle, te perdre dans la ville, en épouser le quotidien inquiet, vivre à son bruit. Il fait jour. Le soleil est encore tiède mais la journée sera chaude. Au loin dans un coin du ciel la trace laissée par un avion. Des voitures dans la rue démarrent. Un bébé crie. Quelques voix plus loin dans l'impasse. Le bruit du moulin à café électrique. Bientôt l'odeur du pain cuit. Le soleil entre dans la chambre. La ville pèse, pèse. S'habiller, déjeuner, partir se perdre n'importe où dans n'importe quel quartier. Marcher, errer, ou plutôt ne pas bouger. La ville remue. Le soleil réchauffe le balcon. Les toasts sont prêts. Tu as perdu ton âge et ton nom. Tu n'es plus que ce rayon de soleil, ces bourgeons à peine éclos qui envahissent le balcon. Tu n'es plus que la rumeur douce de cette ville sans cohérence, sans unité. Encore une fois essayer, prendre à bras-le-corps cette ville impossible, affronter les hivers glacés, les étés chauds et humides, encore une fois, errer.

Faudrait-il tout recommencer ?
La changer de quartier, d'espérance ?
Lui trouver un nouvel amant ou un autre métier ?
Encore une fois essayer, mais le cœur s'impatiente.
Il en a marre.
Ce sera la dernière.
Guedali protège-la.
Encore une fois, seule, à travers cette ville
                              à travers cette île
au milieu de l'océan américain.
Guedali protège-la.
     Aide-la à ne pas désespérer
                 à ne pas se gaspiller
        à croire encore.
     Guedali pour qui écrire ?

Elle l'aurait rencontré lors d'une soirée de l'association Québec-Cuba donnée en l'honneur du combat des
Sandinistes au Nicaragua. L'orchestre jouerait des sambas,
des rumbas, et des tangos d'un autre âge. Il y aurait foule.
À l'entrée, une table avec des livres à vendre, sur Cuba, sur
le Nicaragua, sur l'Amérique latine en général, des analyses de progressistes américains en anglais ou en espagnol
sur la Trilatérale, la C.I.A. ou l'action des Américains en
Amérique latine d'une façon générale. Des livres aussi des
poètes latinoaméricains. Elle serait restée longtemps à
l'entrée à les feuilleter. Il aurait tenu la buvette au fond,
pas très loin de l'orchestre, aussi brun que les musiciens,
l'air dans les nuages bien qu'affairé. Il n'aurait pas eu une
minute, servant coca-cola, jus d'orange et autres, seven up,
des sandwichs, des tacos et des tortillas. Après avoir dansé
quelques tangos, elle se serait approchée de la buvette, se
commandant un coke. Elle se serait adressée à lui en espagnol, d'instinct. Il aurait souri, devant son accent fran-

çais écorchant la langue de part en part. Il lui aurait demandé malicieusement tout en lui servant son coke d'où elle tenait ce délicieux accent, d'où elle venait, ce qu'elle était. Rien de plus simple voyons : une Juive ukrainienne de Paris installée provisoirement à Montréal, donnant des cours dans des universités anglophones mais ayant appris l'espagnol au lycée à Paris. Ouf ! Ils auraient éclaté de rire ensemble.

— Rien de plus simple, en effet, aurait-il dit.

— Mais vous, ça doit être plus clair non ?

— Certes. Moi je suis Paraguayen, d'Asunción. J'ai fui les prisons de Stroesner, et j'ai échoué là. Bien dit. Je suis ouvrier dans une usine de carton, sans syndicat bien sûr.

Ils auraient à nouveau éclaté de rire au même moment. Puis le silence se serait fait dans la salle. La buvette aurait été désertée, les gens se regroupant pour écouter un envoyé du front sandiniste. Il remercierait les Montréalais pour la collecte organisée depuis de longs mois déjà, apporterait le salut des combattants, promettant à tous que Somoza serait écrasé sous peu. Délires d'enthousiasme dans la salle.

— Un jour ce sera le tour de Stroesner, ce jour-là, je reviendrai à Asunción, lui dirait-il, convaincu, l'air grave, les yeux perdus. Puis à nouveau la musique. Il se serait fait remplacer à la buvette, l'aurait invitée à danser des tangos. Elle se sentirait bien au milieu de cette musique désuète, au milieu de la fumée. Ils auraient pris congé des organisateurs. Il serait allé saluer l'envoyé du front sandiniste qu'il aurait eu l'air de connaître de longue date. Il lui aurait proposé de l'emmener dîner dans un restaurant italien de son quartier.

— J'habite rue Saint-Laurent, à la hauteur de Jean-Talon, près du marché Jean-Talon, vous connaissez ?

Elle aurait fait oui de la tête, n'ayant pourtant jamais mis les pieds dans ce quartier. Elle aurait été ravie de le découvrir en sa compagnie.

La pizzeria serait simple de décor, mais de bon ton. Très éclairée avec des nappes guillerettes sur les tables. Elle n'aurait pas pu cacher sa surprise à l'entendre discuter en italien avec le propriétaire ou le gérant du lieu.

— Mais oui, j'ai appris l'italien. Beaucoup d'ouvriers avec lesquels je travaille sont italiens alors ? On essaie de monter un syndicat. Pas facile. Les pizzas sont excellentes ici. Tout à fait les pizzas napolitaines. Rien à voir avec la pâte épaisse qu'on vous sert la plupart du temps. Vous devriez essayer.

— C'est comment Asunción ? lui aurait-elle demandé entamant la délicieuse pizza aux fruits de mer qu'elle aurait commandée, au moment où il lui verserait du Valpolicella.

Il l'aurait regardée de ses yeux noirs, impénétrables et durs. Elle l'aurait trouvé beau, sachant que, de son côté, il se faisait sans doute la même réflexion à son égard. Elle aurait fait semblant de ne pas remarquer, habituée avec les hommes à différer ces moments délicats, savourant à l'avance l'avenir immédiat, aimant à la folie ces moments qui précèdent les déclarations, le plaisir, ces moments où tout semble encore incertain mais où l'on sait déjà qu'une intimité s'installe.

Asunción, ça dépend ! Ce n'est pas une très grosse ville. Une belle ville fondée par les conquistadors au confluent du Paraguay et du Pilcomayo.

— Des noms qui font rêver, dirait-elle un peu grise. J'ai toujours aimé le nom des fleuves. Par exemple ma tante Yente vient de Jitomir sur le Teterev c'est beau aussi, non ?

— Une ville tropicale. Vous n'avez pas idée de la chaleur d'Asunción, l'été, c'est-à-dire quand c'est l'hiver ici.

— Dites-moi encore.

— Que vous dire ? En 1954, Stroesner est arrivé au pouvoir. Depuis, c'est le fascisme. J'ai fait cinq ans de prison. Les maisons sont blanches à Asunción. J'ai milité dans la clandestinité. Après, je suis allé en Argentine, puis au Chili pour échapper encore une fois à Stroesner. J'étais à Santiago quand Allende a été élu. Je crois qu'avec la victoire de Fidel à Cuba, ça a été le plus beau jour de ma vie. Et puis et puis. Pinochet tout ! Je suis arrivé là avec les réfugiés chiliens, mais j'ai eu du mal. Pour entrer ici, il faut montrer patte blanche, c'est-à-dire patte sale. Oui, les maisons sont basses et blanches à Asunción. Mais pourquoi parler de ça. On est bien ici. J'aime cet endroit. Le patron me fait crédit. Il est abonné à l'*Unità*.

— Il y a donc des communistes parmi les Italiens de Montréal ? Elle aurait rougi de sa question. Il aurait souri tout en continuant à remplir les verres de Valpolicella. Les idées commenceraient à se brouiller dans sa tête.

Je voulais dire… Elle aurait éclaté de rire à nouveau.

La soirée aurait avancé doucement, dans une délicieuse ivresse. À son tour, il l'aurait questionnée, lui demandant après les premières réponses de lui réciter des poèmes en yiddish, en hongrois, en russe ou en ukrainien. Elle se serait exécutée avec plaisir, parlant un peu fort et suscitant la curiosité des voisins, tous italiens de bonne composition.

— Pourquoi exactement, êtes-vous à Montréal, lui aurait-il demandé, faisant signe au garçon d'apporter les

menus, et sortant de sa poche une pipe et de l'amsterdamer.

   — Sait-on jamais pourquoi on se retrouve ailleurs,
lui aurait-elle dit, l'air soudain las, presque triste.

   — Moi, je sais, aurait-il répondu les yeux durs.

   — Oui pour vous c'est clair, mais pour moi, c'est
compliqué, ça n'a peut-être aucun sens. Ici ou ailleurs, je
n'ai jamais été chez moi. Vous comprenez. Je n'ai pas
vraiment de chez-moi et puis, elle se serait arrêtée pour
regarder le menu et se commander du gorgonzola. Il aurait acquiescé demandant une autre bouteille — et puis…
j'aime ça, l'errance. J'aime ça être perpétuellement ailleurs, vous comprenez, vous comprenez ?

   Il se ferait tard. En quelques heures, ils auraient
tout su l'un de l'autre. Ils sentiraient entre eux comme un
magnétisme étrange. Entre le gorgonzola et la Zuppa
inglese, ils auraient décidé de ne plus se quitter.

   Charenton — Place Balard.

   Ligne n° 8 — *Bastille* — La Bastoche. La prise de
la Bastille et Nini peau de chien. En ce temps-là c'était
encore un quartier populaire. Tu aimais remonter à pied
le faubourg Saint-Antoine jusqu'à la Nation, longer le
faubourg des artisans du bois, l'ancien faubourg des sans-
culottes où des impasses et des cours intérieures faisaient
penser à Eugène Sue, aux coupe-gorge du XIXe siècle
entre la rue de Lappe et les impasses de la main d'or. Tu
te rendais ainsi chez ton oncle qui habitait à la hauteur de
l'hôpital Saint-Antoine, entre la crémière replète dont le
Brie était inégalable et le fleuriste triste qui a fini par se
suicider laissant pour ultime et ironique message : « Ni
fleurs, ni couronnes ». Le tonton te donnait dix sous et tu
descendais t'acheter des roudoudous et un sucre d'orge.

   La Bastille les jours de quatorze juillet se métamor-
phosait. Il y avait partout des drapeaux tricolores, des

lampions, des buvettes, des orchestres d'accordéon et on dansait la java vache coiffés d'un bonnet phrygien. Le tonton t'apprenait la java, t'achetait d'énormes barbes à papa et de la limonade. Enfin, venaient les orateurs. Tous rouges. Ils évoquaient 89, 93 et la Commune de Paris. Tu ne te souviens que de la fin des discours, toujours la même d'année en année : « Il reste bien des Bastilles à prendre ! », puis *L'Internationale*. Ils sauront bientôt que nos balles sont pour nos propres généraux. Tu chantais cette strophe jusqu'à t'égosiller, entamant ta barbe à papa, tu chantais la bouche pleine, le poing gauche levé, adorant ça. Tu avais douze ans, du temps de la grande manifestation contre Ridgway. La Bastille, les flonflons et la barbe à papa.

> Ciels bas d'avant la neige,
>   gris, invisibles.
>   Attente.
> Le long d'une ville, silence.
> Galeries, balcons de bois. Fire-escape en fer.
> brique peinte en rouge vif, en vert pomme
> toits biscornus, sans forme.
> Dédale hétéroclite et coloré.
> Le Saint-Laurent gelé comme une moire verte et
> grise fendillée.
> Ciels bas. Il fait sombre
> il fait silence.
> Tout se recroqueville en attente.
> La ville est aux aguets.
> Il va neiger.
> Les enfants rentrent vite
> les écureuils se sont cachés
> les automobilistes accélèrent.
> Avertissement de neige abondante.

Cette fois-là tempête.
L'hiver à Montréal.

Elle aurait tenu à emménager chez lui malgré les
criailleries de Mime Yente qui aurait voulu la retenir à
Snowdon, et malgré les mimiques dédaigneuses de Bilou.
L'appartement qu'il occuperait et où elle serait venue le
rejoindre donnerait directement sur le boulevard Saint-
Laurent à la hauteur de la rue Jean-Talon. On y arriverait
par un escalier extérieur assez sombre. Il comprendrait trois
grandes pièces biscornues, sombres et perpétuellement
humides, une cuisine et une salle de bains. Il l'aurait fait
repeindre en y entrant mais les couleurs auraient passé. Les
pièces assez spacieuses seraient presque vides ou pauvre-
ment meublées. On entrerait dans un salon sans confort
avec un vieux canapé en rotin dans un coin, une chaise
berçante qui grincerait en face du poste de télé. Il y aurait
cependant, flambant neuve, une chaîne Hi-Fi et de nombreux disques de musique latino-américaine. Un tapis aux
couleurs incertaines cacherait les dessins d'un linoléum
d'un autre âge. Un buffet de faux teck occuperait un autre
coin surmonté d'un buste de Lénine en bronze lui aussi rescapé des prisons de Stroesner. De la fenêtre on découvrirait
la Main un peu souffreteuse et triste à cette hauteur.

      Roma Groceries
      Chez Ubaldo
Parc Martel Casa Napoli
                 Casa del formaggio
Rimini
Engels   Milano
                  Mobili Torino
    Cycles Baggio
    Chez Dino: Hamburger, patates frites
    Restaurant Frascatti.

Un Disney Land italien. Une vraie ou une fausse Italie comment savoir ? Le besoin d'être là ensemble, de pouvoir évoquer le pays, la ville, le village ? Peut-être !

Le couloir d'entrée mènerait à deux autres chambres. L'une, la chambre à coucher donnerait à l'est et serait ensoleillée le matin. Il aurait installé là son lit recouvert d'une belle couverture mexicaine, une table de nuit achetée rue Beaubien *Aux meubles non peints*, qu'il aurait oublié de vernir, une armoire bancale plutôt grande et un miroir conférant quelque gaieté à cette chambre austère. L'autre qui deviendrait son bureau dès qu'elle aurait emménagé, serait à moitié vide, lui servant de remise. La salle de bains offrirait un minimum de confort malgré une pression nettement insuffisante de l'eau. Quant à la cuisine, on ne pourrait se plaindre. Il y aurait tout le confort de l'*american way of life* : un grand frigidaire qui remplirait à lui seul le quart de la cuisine, une cuisinière, des étagères, des meubles à rangement et un grand évier.

Le loyer serait des plus modestes. Il se serait attaché à travers les années à « son trou », aimant le quartier et traîner dans ses rues, autour du marché le dimanche matin en été.

— L'humidité me rappelle Asunción, lui aurait-il dit en plaisantant, la voyant arriver avec ses nombreux cartons de livres, ses dossiers, son I.B.M. électrique, ses planches et ses briques servant à constituer à la va-vite des étagères de bibliothèques, une grande porte trouvée dans un chantier montée sur des tréteaux lui servant de bureau. Elle n'aurait pas été longue à s'installer, à aménager la seconde chambre, accrochant au mur une affiche de l'ange bleu, un portrait de Kafka et la reproduction d'un immense plan de Paris datant du XVIIIᵉ siècle. Elle aurait décidé d'animer quelque peu cet appartement ingrat. Elle

l'aurait obligé à la laisser faire. Avec ses économies et
grâce à la bonne Mime Yente, elle aurait acheté de
nouveaux rideaux à gardisette, d'autres à dentelles,
quelques tapis d'occasion, une vieille commode ayant
belle allure trouvée dans un « garage sale », une armoire
québécoise qu'on lui aurait cédée à crédit, enfin un piano
lui aussi d'occasion mais bien accordé qu'on aurait placé
dans le salon, surmonté d'un grand vase de fleurs. Elle
aurait tenu à ce qu'il y ait des fleurs partout. Il la laisserait
faire, amusé, troublé, conquis.

— Tu es mon soleil, mon jardin, lui murmurerait-il
en espagnol en l'embrassant. Tu as fait de « ce trou » un
vrai foyer, une oasis. Viens écouter la musique du
Paraguay. Elle s'installerait sur le vieux sofa de rotin,
bien décidée à le changer contre un autre qu'elle achèterait à la première occasion. Ne serait-ce que du *foam*
qu'elle recouvrirait d'un beau tissu. Elle se laisserait
griser par cette musique étrange, lointaine, perçante et
rythmée. Lui dans sa chaise berçante, sa pipe d'amsterdamer à la bouche fermerait les yeux. Il lui saurait gré de
son silence. Où serait-il à ces moments-là ? Que reverrait-
il d'Asunción ? Sa vie d'autrefois, son enfance ? Les prisons de Stroesner, sa fuite ? Il en parlerait rarement.

Noter toutes les différences. Ne rien laisser au
hasard.

Surtout ne rien négliger.

Fixer le nom des partis politiques étrangers venus
d'ailleurs.

Parti libéral

Parti progressiste-conservateur ! ! ! ! ! ! ! ! ! ! ! ! ! !

Union nationale

Crédit social

Nouveau Parti démocratique

Parti québécois

Au début quand tu voyais comme gros titre dans les journaux : « Le P.C. déclare que… » tu regardais ahurie. Le P.C., ici ? Il t'en a fallu du temps pour comprendre que ces initiales ici s'appliquaient au Parti conservateur. Ah bon !

Oui, noter toutes les différences. Ne rien oublier, ni les marques de dentifrices, les chaînes de Barbecue, celles de Pizzas, ni les marques de savon ou de lessive. Pénétrer l'étrangeté de ce quotidien. En exil dans ta propre langue. Le leurre de la langue. Ni la même, ni une autre.

L'AUTRE dans le MÊME.
L'inquiétante étrangeté d'ici.

Les jours de semaine, il se lèverait tôt, partant aux aurores travailler dans une usine de carton à l'autre bout de la ville et s'y rendant par autobus. Il reviendrait vers 19 heures lorsqu'il serait de l'équipe du jour. Lorsqu'il serait de l'équipe de nuit, ils se verraient à peine. Il parlerait rarement de son travail à la chaîne. Elle devinerait sa misère à la vue de sa fatigue et des mains enflées parfois suppurantes et difficiles à soigner. Il ne se plaindrait pas sachant que dans ce pays, il resterait éternellement un citoyen de seconde zone — les immigrants ne font pas de politique — on aurait refusé de lui donner la citoyenneté canadienne parce que trop marqué, subversif, dangereux pour la sécurité nationale. Il le saurait. Prudent, il mettrait ses dernières énergies à tenter de constituer un syndicat et à militer dans les milieux latino-américains. Il ferait à cet effet un ou deux voyages au Mexique afin de prendre contact avec des Argentins ou des Chiliens nouvellement arrivés à Mexico. Elle se serait promis d'être du prochain voyage.

Elle aurait trouvé quelques cours à donner, pour un salaire de misère dans une université anglophone de la

ville. Elle parlerait de la poésie juive soviétique des
années 1920 à des étudiants fascinés. Elle se serait longtemps arrêtée avec eux sur cet extrait du long poème de
M. Kulbach : « Raïssin »

> « Oh mon aïeul de Kobilnik est un Juif ordinaire,
> Paysan en pelisse avec sa hache et son cheval,
> Mes seize oncles, comme mon père,
> Simples Juifs, Juifs pareils à des mottes
>   de terre,
> Qui poussent le bois sur le fleuve, qui
>   traînent les troncs des forêts,
> Et toute la durée du jour on a trimé comme
>   des serfs,
> Ensemble on prend le repas du soir dans la
>   même écuelle,
> Et dans les seize lits on s'écroule comme
>   des gerbes.
> L'aïeul, oh l'aïeul, il a peine à grimper
>   tout seul sur le poêle,
> Le petit vieux s'est assoupi tout à l'heure
>   au bord de la table,
> Mais ses pieds, ses pieds savent bien d'eux-
>   mêmes là-haut le porter,
> Des solides pieds de l'aïeul, serviteurs depuis
>   tant d'années. »

Le dimanche en été, ils traîneraient de longues
heures autour du marché Jean-Talon. Ils adoreraient ça.
Elle aurait l'impression par moment d'être à Naples ou en
Sicile. Lui aussi pourrait avec de l'imagination par
moments revoir les marchés de petites villes du Paraguay.
Ce serait des piles de tomates, de choux-fleurs, de poivrons, des paniers d'osier pleins de bleuets ou de fraises,
des amoncellements de laitues. Plus loin de l'ail en natte,

des oignons rouges, des oignons blancs, de l'échalote, des herbes fines. Ça sentirait bon le fenouil, le serpolet et la menthe sauvage au milieu des mouches et des guêpes, entre les melons d'eau un peu sûrs et des figues de Barbarie venues on ne sait d'où. Plus loin encore des fleurs, des plantes vertes, des senteurs suaves au-dessus des voix italiennes ou grecques. Joyeux tohu-bohu au milieu duquel ils auraient le sentiment d'être chez eux, s'extasiant devant tous les étalages, devant le miel et les confitures naturelles, devant les bocaux d'ail sauvage aussi bien que devant la lavande en sachets.

Ils monteraient toutes leurs provisions, et iraient chez Milano chercher leurs pâtes fraîches, leurs olives et du féta. Ils retourneraient déjeuner à la pizzeria où ils se seraient connus, puis se baladeraient dans le quartier, autour du parc Jarry, ou le long de la Main descendant jusqu'à Beaubien, Rosemont, voire Laurier, rencontrant des amis italiens, latino-américains ou québécois. Ils reviendraient chez eux, feraient l'amour sur le tapis du salon. Elle aimerait les mots doux murmurés à son oreille en espagnol. Elle se mettrait ensuite à son piano, ce vieux piano d'occasion mais aux tonalités cristallines, et y resterait des heures dans le calme des fins d'après-midi. Il l'écouterait calé au fond de sa chaise berçante, sa pipe d'amsterdamer à la main, des tas de journaux latino-américains clandestins jonchant le plancher du salon.

Métro République, une station importante. Tout le monde changeait. On devait ensuite emprunter un long couloir pour accéder à la direction «Mairie des lilas». On se réunissait le dimanche sur la place par tous les temps. À quinze ans les itinéraires ne sont pas originaux. Tous sur les grands boulevards jusqu'aux Italiens. République devant la Toile d'Avion ou devant l'hôtel moderne. Plus tard, tu attendis de longues heures Janos. Vous vous étiez donné rendez-vous. Il rêvait depuis longtemps d'une bonne choucroute. Tu avais retenu une table «chez Jenny». Tu arrivas en avance, te commandant un pastis pour tromper l'attente, fumant tes gauloises l'une après l'autre avec nervosité. Tu avais connu Janos à Budapest au conservatoire en automne. Il était professeur de musique et personne ne savait jouer Kodaly ou Bartok comme lui, au piano, au violon, au violoncelle. Il avait traversé les événements de 1956 sans trop d'embûches, ne comprenant rien, ne vivant que pour sa musique, pour cette ville qu'il aimait tant, pour la maison qu'il occupait à «Rozja Domb», la colline des roses et qui avait un charme fou ouvrant sur un jardin aux haies de lilas et de rosiers grimpants, ne vivant que pour fouler les feuilles mortes dans l'île Marguerite et voir passer les bateaux sur le Danube. Janos tardait. Tu ne savais que penser. De la table où tu attendais tristement, tu regardais la place de la République. Il pleuvait. Parapluies, pardessus, flaques et freins devant les feux. Tu regardais ce Paris de la fin de ton adolescence. Déjà errante. À Paris ou à Budapest? À quoi bon! Janos ne vint pas ce soir-là, ni aucun autre soir. Il rentra précipitamment à Budapest. Il te l'écrira beaucoup plus tard. Il avait fui sachant que s'il venait te voir, ce soir-là, il lâcherait tout pour toi, son pays, sa maison, le conservatoire et la musique. Tu restas seule de longues heures «chez Jenny» à la République. Lorsque tu sortis de là, ayant réglé l'addition, ayant commandé pour la forme une choucroute à laquelle tu ne touchas pas, tu pris le métro. Métro République, direction Porte des Lilas. Jamais plus les lilas de la colline des roses à Budapest, jamais plus le regard enfantin de Janos. Les villes se cherchent et se répondent dans la nuit. Parfois, elles se ressemblent. Paris ou Budapest.

      Budapest ou Paris. Ou Montréal. Quelle importance! Quelque part dans l'imaginaire de la ville!

Le texte m'échappe. Je le sens glisser. Sécrétions de pittoresque, épanchements. Nostalgies de deux sous. Illusions de l'enracinement. Ce personnage encore une fois m'échappe. Je finis par me laisser prendre à son histoire. Je finis par croire à la réalité de Mime Yente et de son chat Bilou, je finis par vouloir suivre une intrigue, un semblant d'histoire avec un début et une fin. Je finis par vouloir un brin d'ordre, de logique, un lieu quoi. Vivre à petits pas, à petits feux. Le temps à se traîner jour après jour. Les courses à faire. Pardon. Magasiner. Enfilement de gestes, miettes de ville, de vide, de vie. Je finis par avoir la nostalgie du récit. Où la mener ? Elle ne peut tout de même pas habiter tous les quartiers de Montréal. La promener longtemps ainsi dans la ville aux soirs chagrins, aux ombres resserrées ? Du marché Jean-Talon à Verdun, de Pointe-aux-Trembles au Vieux-Montréal ? En attente, brisée ? Lui donner des amants de toutes les nationalités et après ? Restera l'exil, l'éternel sentiment d'être ailleurs, déracinée. Montréal ou Paris, Budapest ou Jitomir ou New York. Les villes se cherchent et se répondent dans la nuit. Parfois elles se ressemblent. Quelle importance ! Quelque part dans l'imaginaire de la ville.

Je me sens totalement piégée par elle. Elle finit par me prendre par la main, par me guider. Si je lui compose tel visage, si je lui donne tel destin, elle se rebiffe. C'est elle qui finit par commander. Elle veut sa place, toute sa place. Elle n'accepte pas d'être une ombre, un simple support à l'écriture. Non. Elle sort du papier, elle entraîne son barbudo, Mime Yente et Bilou dans cette émergence. Elle me fait la nique. Elle s'installe. Oui, s'installer. Rester quelque part. La tentation des races pures, des beaux passeports, des généalogies, des « moi mes ancêtres ici, il y a deux cents, trois cents ans, moi ma noblesse qui remonte au temps des croisades, moi cette terre, mes aïeux la travaillaient… » À d'autres ! On connaît. Je n'ai pas d'aïeux. Tous morts à Auschwitz et avant anonymes, des petits, des obscurs, des sans-grades. Pas d'aïeux, des ailleurs, oui, elle m'échappe. Fatiguée sans doute de cette course folle à travers la ville, de ce roman qu'elle n'arrive pas à terminer.

> faux messies et
> faux récits.

Oui, la fatigue. Budapest ou Paris, Paris ou Budapest ou Montréal. Qu'importe ! Cela n'a pas de fin.

Le vendredi soir serait consacré à Mime Yente. On se rendrait à Snowdon, on lui apporterait des fleurs. Elle allumerait les bougies de la Menorah et on fêterait gaiement le sabbat. Mime Yente remplirait une coupe de vin puis déclamerait en hébreu sa pipe d'amsterdamer à la main « Le soir se fit, puis le matin; ce fut le sixième jour. Ainsi furent terminés les cieux et la terre et toute leur armée. Dieu avait achevé, le septième jour, l'œuvre faite par lui et il se reposa, le septième jour de toute l'œuvre qu'il avait faite. Dieu bénit le septième jour et le proclama saint parce qu'en ce jour il se reposa de l'œuvre entière qu'il avait créée en la faisant. » On dînerait fastueusement aux bougies de la Menorah. La tante mettrait les petits plats dans les grands. On se régalerait de gefilte fish, de Knödles, de blinis à la crème sûre et de stroudle. Le tout arrosé de thé, car le samovar de Jitomir serait perpétuellement de la partie, Bilou sous la table ramassant les miettes et se blottissant contre les pieds des uns et des autres. Mime Yente aurait tout de suite adopté ce « barbudo » aux yeux noirs sortis des prisons de Stroesner. Il lui aurait raconté ses luttes, ses victoires et ses défaites, elle lui aurait raconté par le menu l'Ukraine, les pogroms de Petliura, sa fuite à Londres et le procès Schwartzbard à Paris. Ils se seraient parfaitement compris. Des anciens combattants un peu sur la touche, un peu grognards. Ils auraient bien d'autre chose en commun, la pipe et l'amsterdamer par exemple. Le vendredi soir, elle jouerait pour Mime Yente des airs anciens et du Chopin pour Bilou en pelote sur les partitions en haut à droite. Ils évoqueraient la situation politique dans le monde, en Amérique latine, au Canada et au Québec. Ils n'en finiraient pas d'évoquer le passé.

— Vous devriez déménager, dirait régulièrement Mime Yente. C'est trop humide là-bas. Vous devriez trouver quelque chose dans le quartier tout près d'ici. Ils ne répondraient pas, attachés qu'ils seraient au marché Jean-Talon, aux pizzerias du coin et aux épiceries italiennes à leurs yeux irremplaçables.

— On verra plus tard, répondrait-elle entre deux verres de thé. On verra plus tard. Ils quitteraient Mime Yente assez tard dans la soirée, ayant une longue trotte par bus et métro pour rentrer. Les soirs d'été, ils marcheraient à pied jusqu'à l'intersection de Sherbrooke et de Saint-Laurent ne prenant le bus que pour monter la Main. Ou alors par d'autres itinéraires compliqués, ils s'en reviendraient à la maison à pied. Ils aimeraient marcher dans la ville à l'écoute de ses langues, de ses métamorphoses, de ses bruits. De Snowdon, ils rejoindraient Victoria par Lacombe qu'ils suivraient très loin dans le nord, rêvant de maisons de pierre ou de brique, voyant dans la nuit des intérieurs encore brillamment éclairés avec de beaux abat-jour à franges et des plantes vertes devant les fenêtres. Ils longeraient ainsi Victoria jusqu'à Van Horne et parfois au-delà jusqu'au cœur du quartier juif,

Spaghetti ville	Bagel ville
Royal Bank	Brown Derby
Pharmaprix	Fiducie Victoria.

Partout des boucheries kascher, des synagogues, des maisons de prières et des congrégations. La Bagelerie Van Horn, l'épicerie Budapest et le marché Aviv. Puis ils longeraient Outremont, les belles maisons le long du parc Pratt. Ce serait le silence. Le quartier endormi redeviendrait populaire au-delà. Ils prendraient par le nord remontant la rue Saint-Laurent jusque chez eux. Ce serait une très longue promenade prenant des allures de bout du monde. Ils ne l'entreprendraient que certaines nuits d'été, de ces nuits au vent léger, accompagnées de senteurs de lilas à la fin de juin ou de roses plus tard, des senteurs des jardinets entourant les maisons. Ils ne se sentiraient totalement eux-mêmes qu'en marchant, en traversant les différents quartiers.

On quitte un ghetto pour un autre, murmurerait-il ironiquement, chez les Juifs, puis chez les Italiens, en passant par chez les riches. Que des ghettos. Tu as remarqué ?

Elle aurait remarqué. Depuis toujours dans un ghetto, n'arrivant pas à en sortir, malgré tout, se remémorant des vers de Gladstein, le poète juif américain, et les lui récitant dans la nuit chaude.

« Bonne nuit vaste monde,
Monde géant, monde puant
Ce n'est pas toi, c'est moi qui fais claquer la porte
avec la longue houppelande, avec l'étoile jaune en
feu
avec mon pas orgueilleux,
à mon propre commandement
je retourne dans le ghetto,
j'efface et foule toutes les traces d'apostasie,
je me roule dans ton ordure,
louange ! louange ! louange !
vie juive bossue,

monde j'abjure
ta culture d'impureté
et bien que tout soit dévasté
je cherche la poussière en ta poussière vie juive
désolée
……………………………………………..
Il ne me faut nul réconfort
je retourne à mes quatre coins,
et de Wagner, de la musique des idoles,
au bruissement de mes anciennes mélodies,
je t'embrasse vie juive échevelée
et laisse en moi pleurer la joie de revenir. »

Guedali, Guedali, le cœur se prend certains soirs !

Il détonne. Il a mal. Il cogne. Paris s'éloigne, s'enfonce dans les lointains. Même pas le souvenir. La mémoire sombre avec armes et bagages. Aucune bouteille à
la mer. La mémoire saigne. Noter toutes les différences.
Tout cela finirait bien par donner de la réalité, tout cela
finirait bien par lui faire comprendre le Québec, et
Montréal et le parler d'ici, tout cela finirait bien par
prendre la configuration d'une nouvelle existence. Ne pas
oublier surtout de relever dans les pages jaunes du bottin,
la liste des *Saint-Hubert Barbecue* :

Saint-Hubert

Salle à manger	4505, Jean-Talon Est
Livraison	7979, boul. Newman (Lasalle)
Prix spéciaux au comptoir	222, boul. des Laurentides
Licence complète	(Pont Viau)
Commande à l'auto	3325, boul. Saint-Martin
4462, Saint-Denis	(Chomedey)
6355, Saint-Hubert	111, boul. Saint-Martin
862, Sainte-Catherine Est	(Laval)

4590, Sainte-Catherine Est	1425, Saint-Charles Est
2152, Sainte-Catherine Ouest	(Longueuil)
6225, Sherbrooke Est	2315, chemin Chambly
12575, Sherbrooke Est	(Longueuil)
684, boul. Sainte-Croix	6325, boul. Taschereau
(Saint-Laurent)	(Brossard)
388, av. Dorval (Dorval)	4700, Montée Saint-Jean
10635, boul. Pie IX	(Pierrefonds)

Mime Yente ferait son marché à Snowdon. Le vendredi dès la matinée, elle s'affairerait au Steinberg de Queen Mary cherchant sa viande en face chez Calvados, son pain à l'endroit de son ancienne boulangerie près d'Isabella. Elle connaîtrait le quartier par cœur, s'y étant installée avant la percée de Décarie. Elle n'aurait jamais voulu vendre son duplex de guingois, trop attachée au souvenir de Moshe, aux rosiers du jardin, au quartier. Le samovar n'est pas déplaçable grommellerait-elle entre ses dents, dès qu'il serait question de la faire déménager. Ni le samovar, ni mes rosiers, ni Bilou, ni moi, point final.

Mime Yente. Mime Yente de Jitomir, Jitomir sur le Teterev, sœur, mère ou fille du vieux Guedali de Volhynie, tu as trouvé finalement ton pays à Snowdon, dans ce petit périmètre de terre qui va de Queen Mary à Côte-Sainte-Catherine et de Hampstead, de Notre-Dame-de-Grâce à Victoria. Tu te sens bien là. Un peu comme le « barbudo » qui est bien dans son « trou » sur la Main à la hauteur de Jean-Talon, entre Jean-Talon et Van Horne, entre l'avenue du Parc et Saint-Vallier. Lui aussi dans ce petit périmètre. Chacun ici dans son petit quadrilatère-refuge, ses bouts de rue, ses repères.

Ses bouts de rêves — ville reprisée,
ville d'exils juxtaposés,

de solitudes amoncelées qui se côtoient sans se voir
pas de reprise perdue, les fils se voient dans la
couture.
Paroles égarées
    à la dérive
    sans points d'appui.
Paroles étrangères aux idiomes incompréhensibles,
paroles des communions perdues
    des réseaux disloqués
paroles qui se rencontrent à l'aveuglette dans la
ville,
paroles nues
parole autre,
la parole immigrante.

Métro Opéra. Les beaux quartiers. Cousettes et
midinettes sous les arcades de la rue de Rivoli autrefois
avant Mitsubishi — avant l'électronique, le RER et le
drugstore. Du temps des articles de Paris, des foulards de
soie. Souriez Mimi. Un Américain à Paris. S'ouvrirait
l'ancienne blessure. Ne touchez pas au souvenir. L'opéra
avant le plafond de Chagall. C'était *La Traviata* de Verdi.
D'habitude Verdi, c'est à l'opéra comique non ? Non,
c'était bien *La Traviata.* J'avais un grand nœud mauve
dans les cheveux, des chaussettes blanches, des sanda-
lettes noires cirées et une robe à nids d'abeilles. Je rete-
nais mon souffle. Je ne comprenais rien. Ils chantaient en
italien mais la dame avait l'air de beaucoup souffrir et la
musique me plaisait. À l'entracte, je m'empiffrais de
chocolat et d'esquimaux Gervais. En ce temps-là,
Bahlsen qu'on aime n'existait pas, ni les picorettes, mais
il y avait le chocolat Nestlé et des esquimaux Gervais à la
vanille ou au praliné. J'étais allée à l'opéra ! En sortant
du métro, ce grand bâtiment un peu comme un gâteau, là,

au milieu c'était donc ça. Métro Opéra, il y avait encore dans les petites rues vers la comédie française des bistros pas chers où l'on dégustait des moules marinières au muscadet sur des tables de bois verni. Au zinc, le patron racontait sa vie pleine de trous et l'on poussait fort avant la rigolade. Ce n'était pas le Paris des bourgeois. Non. Rien à voir avec cette « pub » trouvée dans un des derniers *Monde*. « Croyez-le ou non, le grand luxe est plus abordable qu'on ne le croit. De 12 500 à 18 000 F m^2, mettre Paris à ses pieds au cœur du XVe arrondissement peut sembler une gageure. Et pourtant, c'est à ce prix que Totem vous propose des appartements de prestige allant du studio au 3/4 pièces. Totem, un immeuble de très grand luxe, à 200 m de la tour Eiffel. Prenez contact avec nous, venez visiter cette réalisation exceptionnelle.

Totem. Capri. 5750 Quai de Grenelle, 75015, Paris. »

Grenelle. Oui, Grenelle. Je ne sais plus. La ligne se perd dans ma mémoire. Il faisait beau ce jeudi-là. Autour de la rue Nelaton, de la rue Noccard, après Grenelle.

Son roman consacré aux faux messies de l'Histoire juive ou plutôt à la façon dont son personnage, Mortre Himmelfarb, en parlerait, resterait de longues semaines en panne. Le vieux Mortre se montrant rechignant ou découragé, ou trop malade. Prise de panique, elle mettrait les bouchées doubles. On retrouverait le vieux Mortre à sa table de travail en train de préparer son cours, ayant décidé cette fois de mettre l'accent sur ce troisième lieu de réincarnation de l'âme divine que fut Jacob Frank.

« Au commencement, au commencement. » Oui commencer par le commencement. Mais en matière de faux messie, quand ça commence, ça ne s'arrête plus. C'est ça le drame. Interminable. Quarante-cinq heures, quinze leçons, à parler de Jacob Frank à des ignares.

Aucun sens de l'Histoire. Aucune mémoire historique, ne savent rien. Comment faire ? Natacha, aide-moi. Rester à mon bureau bien au chaud, regarder au-dehors par la fenêtre, la tempête de neige qui s'acharne sur l'érable nu, rester là bien au chaud dans ma robe de chambre, avec du café très chaud, des livres partout sur le bureau, des dossiers en désordre, des crayons mal taillés. Rester là des heures à chercher le moyen de présenter Jacob Frank. Pas facile, je dirai en introduction, le premier jour, si je n'ai pas une crise d'asthme ce jour-là, mais il y aura bien toujours une première leçon. Pas facile je dirai, nous sommes en plein XVIIIe siècle et il est difficile de se l'imaginer quand on a affaire à Jacob Frank. S'ils sont malins, ils pourront toujours me dire qu'avec les rabbins orthodoxes non plus, ni avec les autres. Une pierre dans mon jardin. Mais ils ne sont pas malins. Trois heures de généralités, organisation du travail, bibliographie, reste quatorze leçons. Une crise d'asthme, une grève ou une forte tempête de neige, reste treize leçons de trois heures. Il est né en Podolie, je dirai. Qui sait où se trouve la Podolie ? Silence dans la classe. Bien entendu, ne savent rien. Ça se trouve au sud-ouest de l'Ukraine, entre le Dniestr et le Bug. Là, prévoir une carte sinon... Jacob Frank fut très tôt en contact avec les sabbatéens. Là, je ne reviens pas sur Sabbataï Zevi. On a déjà vu ça dans une autre vie, un autre chapitre et même si vous n'étiez pas concernés, ce n'est pas une raison. Il se mit à lire le Zohar. Ah le Zohar-qui connaît-silence-trois heures à parler du Zohar. Voyons. « Malheur aux pécheurs qui prennent la Torah pour de simples fables concernant les choses du monde, ne voyant que le vêtement extérieur. Heureux les justes dont le regard pénètre jusqu'à la Torah même. Tout comme le vin doit être mis dans une cruche pour se conserver, la Torah doit être enveloppée dans un vêtement extérieur. Ce vêtement est fait de fables et de récits. Mais nous devons pénétrer au-delà. » Et vous aussi tâchez de ne pas vous laisser prendre à l'apparence, au vêtement à la fable et au récit ! Raconter l'Histoire ou des histoires. Faire le récit de la vie de Jacob Frank. Attention, attention, l'examen sera difficile et vous n'aurez pas vos notes. Mortre Himmelfarb, jubile. Mortre couleur du ciel, pense déjà au sujet d'examen pour les coincer. Canailles, savent rien.

Ces faux messies ont tous la bougeotte et sont tous attirés par l'Empire ottoman. Il est vrai que les Juifs y étaient plus en sécurité que dans la chrétienté de l'Inquisition. Bref Jacob voyage. Je dirai. Je raconterai. Avant, il épouse Hannah parce que son maître lui avait dit qu'il l'initierait aux secrets de la secte après son mariage. Alors il voyage, je dirai, il va à Andrinople, à Smyrne, il se recueille sur la tombe de Nathan de Gaza, part à Salonique. Il revient en Podolie. Montrer l'itinéraire sur la carte. Ce petit voyage prend quand même vingt-cinq ans. Bruits divers dans la classe. Dériver sur une leçon consacrée au « temps en histoire ». Cela prendra toujours trois heures. Quand il revient, il a un turban sur la tête et se livre, disent ses ennemis, à toutes sortes d'orgies. Emprisonné, relâché, emprisonné, relâché. Revient en Turquie et se convertit à l'islam. Une vraie épidémie. Ces faux messies passés à l'islam. Interrogation écrite. Pourquoi Sabbatai Zevi et Jacob Frank se sont-ils convertis ? Silence dans les rangs, vous avez trois heures. Natacha ne me regarde pas comme ça, je sais que ce n'est pas sérieux mais l'Histoire tu sais ce n'est pas toujours sérieux. Le vieux couleur de ciel n'en peut plus. Il est malade. Il ne rêve que de rester à son bureau le dimanche matin dans sa robe de chambre avec du pain au cumin, du philadelphia cream cheese et des lox, avec du café bien chaud, au milieu de ses piles de bouquins et de ses dossiers à regarder le ciel blafard, la neige et le vent secouant les dernières branches de l'érable. Mortre couleur de ciel n'attend plus le messie. Simplement le calme, le silence, le repos.

Bref à nouveau, les masses se mettent en mouvement. De toute façon, vous ne pouvez pas vous tromper. Dans les livres d'Histoire les masses ou elles n'existent pas, ou elles sont apathiques, ou elles avalent tout, ou elles se mettent en mouvement. Alors ici elles se mettent en mouvement. La Galicie, l'Ukraine, la Hongrie, la Moravie s'agitent. Le pauvre Jacob est excommunié en 1756 ainsi que tous les membres de la secte, la lecture du Zohar quasiment interdite (pas drôle ces rabbins, pas drôles) et puis au moment où Jacob allait se lancer dans de complexes «disputations» avec les rabbins, au moment où le cours allait enfin devenir théorique, difficile voire érudit, Mortre Himmelfarb meurt à son bureau d'une crise cardiaque. Comme ça. Un dimanche matin, un de ces dimanches d'hiver qu'il aimait tant, un dimanche de neige, de ciel blafard, de lumière sourde et de grand vent. Comme ça, n'ayant pas terminé de boire son café chaud, ni de manger ses tartines, comme ça au milieu de ses piles de livres et de ses dossiers, sans le secours de Natacha, loin très loin de sa natale Vitebsk, seul. Fini le cours, fini les traces, fini le carrousel des faux messies. On ne saura jamais ce qu'il advint de Jacob Frank. Les masses qui s'étaient mises en mouvement attendent. Raconter l'Histoire ou raconter des histoires. Mortre couleur de ciel est mort.

Ne pas perdre le nord. Ici c'est difficile
ne pas devenir conforme
ne pas rentrer dans le rang.

Attention.
Les viets vous regardent
les niets vous zieutent
les popofs vont vous tomber dessus,
les pauvres vont venir vous piller
barricadez-vous !
armez-vous jusqu'aux dents !
même le voisin n'est pas sûr !
Priez Dieu. Ça ira mieux.
On n'y peut rien. On fait de notre mieux.

Voyons ma chère, dit-on dans les salons où l'on sable le champagne lors de quelconques vernissages, vous ne vous rendez pas compte. Si la guérilla l'emporte au Salvador, ce sera le goulag. Les pauvres ! Peut-être que la junte et que Reagan y vont un peu fort mais quand même, quand même vous ne vous rendez pas compte !

Achetez le truc un tel
vous paierez dans dix ans
offrez-vous tout,
Si vous ne pouvez pas payer, même à crédit.
CREVEZ.

Vous n'avez pas besoin d'être grec pour aimer les restaurants et les boutiques de l'avenue du Parc.

Mime Yente lasse de le voir ainsi s'écorcher les mains aurait fini par aller voir le vieux Morgenstern qui tiendrait une brocante sur l'avenue du Parc, entre Saint-Viateur et le boulevard Saint-Joseph. Le vieux Morgenstern qu'elle rencontrait au théâtre, au brunch du dimanche ou à la manufacture de bagels, lui aurait fait savoir qu'il envisageait de passer la main, mais qu'il aimerait confier sa brocante à quelqu'un de confiance. Un soir d'été, alors qu'ils s'apprêteraient à prendre congé

d'elle après de longs moments passés près des rosiers,
elle leur aurait parlé de la brocante, du vieux Morgenstern, de l'appartement au premier, au-dessus de la
boutique. Ça n'aurait été qu'un cri, qu'une longue jubi-
lation. Ils feraient déjà mille châteaux en Espagne. Ils
seraient passés sans un murmure de l'Italie à la Grèce.
Étoile du matin : Antiques. Écrit en grosses lettres jaunes
d'écolier. Il aurait repeint en vert pomme la devanture et
astiqué les vitrines. Sur le trottoir, il aurait sorti une
vieille table de pin sur laquelle il aurait disposé des
pièces de cuivre, des verres et de la porcelaine, des clo-
chettes. De part et d'autre de la porte, deux vieux voltaires. Comme ça le client aurait pu s'asseoir, bavarder un
peu, tout en tirant sur sa pipe. Ça ne serait pas le profit
maximum. On aurait le temps. Le tout serait de pouvoir
payer le loyer au vieux Morgenstern et de vivre vaille que
vaille en vendant la bimbeloterie. Bilou aurait trouvé le
magasin à son goût, se vautrant sur les fauteuils dehors au
soleil, ou sur les pots de fleurs accrochés à l'entrée. Elle
aurait placé dans une des vitrines un vieux mannequin
1920 avec une robe de paillettes noires très seyante, de
vieux fers à repasser, de la vaisselle Empire à demi ébré-
chée et dans l'autre vitrine, à droite de l'entrée une balance romaine avec ses poids. L'intérieur serait sombre,
encombré d'un bric-à-brac impressionnant de meubles
encore peints qu'il faudrait décaper, de lampes à pétrole,
de samovar de toutes provenances et de cuivres tout droit
venus sans doute du marché d'Athènes ou d'Héraklion.
Des bouteilles ventrues aussi, des calebasses, des cloches
à vache, des bassinoires et des fers à friser. En restant des
heures, en cherchant dans les multiples boîtes disposées
sans ordre sur un plateau de vieille machine à coudre hors
d'usage, on aurait pu trouver des boutons de nacre, d'anciennes pièces de monnaies, des poupées d'enfants 1900,

des gants dépareillés. Au fond du magasin une table bistro sur laquelle serait disposée une vieille caisse enregistreuse. C'est là que le vieux Morgenstern sur un autre voltaire violet à moitié cassé, aurait trôné, son chapeau sur la tête en toute saison, s'éclairant au pétrole et lisant, en attendant d'hypothétiques clients, des manuscrits hébraïques. Non loin de la table bistro, un orgue de Barbarie que le vieux Morgenstern aurait toujours refusé de vendre, aimant à en jouer, à le sortir sur le trottoir certains après-midi d'été, attirant les gamins du quartier. Tout à fait au fond, un cheval blanc à bascule impossible à réparer, ne basculant plus depuis au moins un siècle, fixerait de ses yeux de verre le désordre de cette brocante à vau-l'eau.

Ils se seraient installés au premier dans un appartement tout en longueur, aux murs épais qui donnent sur l'avenue du Parc. Tous ses amis latino-américains et italiens seraient venus pendre la crémaillère. Il aurait vite fait connaissance avec les Grecs du voisinage, repérant presque d'instinct ceux qui auraient fait de la prison sous le régime des colonels, ceux qui un peu plus vieux auraient connu la Résistance et fait la guerre civile — du bon côté — bien entendu. Déjà, ils prendraient de nouvelles habitudes, s'efforçant de tracer dans cette ville opaque de nouveaux itinéraires. Déjà, ils auraient leurs nouveaux restaurants, restaurant de fruits de mer, de souvlakis, de yogourts aux concombres, agrémentés de boutzoukis assourdissants.

Déjà, ils auraient repéré les cafés dans lesquels on pourrait rester des heures à lire les journaux. Il suffirait de fermer la porte de la brocante, de laisser Bilou sur les fauteuils et d'accrocher sur la porte vert pomme « je reviens de suite ». Dans ce quartier de Méridionaux de toute espèce, personne ne se formaliserait. On pourrait rester des heures à lire des journaux, à préparer des cours, à lire des poèmes, à discuter aussi. La Grèce et le marché commun et les élections municipales à Athènes et les touristes qui rendent méconnaissables La Plaka ou les faubourgs d'Héraklion. Il donnerait son avis sur tout, les doigts dans sa pochette d'amsterdamer. Elle aimerait rester longtemps à la manufacture de bagels sur Saint-Viateur, ouverte 24 h sur 24 h. Elle parlerait en yiddish au propriétaire qui la prenant pour une Juive polonaise, récemment débarquée, n'arrêterait pas de lui demander :

— Alors à Lublin, c'est comment maintenant ? As-tu connu Haïm Gleïs ?

Elle le regarderait interloquée, fixant le jeu de ses mains dans la pâte.

— Mais voyons je suis née à Paris, je ne suis jamais allée en Pologne !

— Ah bon, dirait-il, désabusé en pétrissant la pâte, ah bon, tu as l'accent de quelqu'un qui arrive de là-bas.

Elle lui achèterait pour se faire pardonner des piles de bagels, des blancs au sésame et des noirs au cumin. Qu'est-ce qui fait le charme envoûtant de cette ville ? Son odeur particulière ? Ville épice, ville fuchsia, ville graine de potiron, ville pistache. Ils n'auraient pas de réponse, se laisseraient engloutir dans l'océan estival de ses sécrétions obscures, pâmés, anéantis de bien-être. Plus aucune nostalgie par moments. Ils auraient à la longue de plus en plus d'amis québécois, tous d'accord sur un point :

— alors cette gauche, c'est pour quand ?

— alors la gauche du P.Q., qu'est-ce qu'elle fait ?

— alors ? et la C.S.N. alors ?

— alors on se grouille le cul, alors ?

Tout doucement, sans rien dire, sans se le formuler clairement, ils sentiraient les choses changer autour d'eux. Le Québec tout doucement s'en irait vers une

société plurielle sans qu'il y paraisse. Témoins de cette
métamorphose inconsciente, ils en seraient aussi les
obscurs et anonymes artisans.

Étoile du matin : Antiques. Bilou serait resté avec
eux passant des vieux voltaires violets au piano du
premier étage. Parfois lorsqu'on serait cinq ou six dans la
boutique, elle ferait du thé se servant d'un samovar. Et
l'on parlerait longtemps sans rien acheter, ce qui, du reste,
inquiéterait quelque peu Mime Yente. On jouerait aussi à
la belote, aux dés ou à des tours de cartes, des réussites
qu'un restaurateur grec du coin saurait faire de main de
maître. Shlome Raïssin serait un habitué de la boutique,
un drôle de lascar, ce Shlome, un *luftmensh* à sa façon. Il
traînerait la savate des jours entiers pour tout bagage un
sac de voyage contenant tout son avoir : quelques
bouquins, des sous-vêtements de rechange, une chemise
infroissable et un pull, des clés diverses qui n'ouvriraient
rien et du thon en conserve. Il disparaîtrait des jours
entiers « empruntant » une voiture, puis réapparaîtrait
maigre ou gras, comme son balluchon qui tantôt serait plat
comme une limande, tantôt rond. Ces jours-là, Shlome
prendrait des airs mystérieux et personne ne lui poserait
de questions. Il y aurait aussi Malcom Burne, autre
habitué et spécialiste des réussites. Il n'aurait pas eu de
chance dans la vie Malcom. Sans spécialité, sans métier,
sans rien. À peine embauché dans un garage de l'avenue
du Parc, il se serait fait mettre à la porte, le patron venant
de s'apercevoir qu'il ne savait pas conduire. Alors il aurait
trouvé du travail au cimetière, pour une semaine ou deux,
mais comme il aimerait à le répéter « c'est pas une vie »,
alors, il traînerait à la boutique, jouant aux cartes, lisant le
passé plutôt que l'avenir dans les lignes de la main.

Un jour, le vieux Morgenstern aurait en passant
dans le quartier — retiré à Côte-Saint-Luc, on ne le

verrait presque plus — apporté une lanterne magique qu'il aurait trouvée à Prague lors d'un récent voyage. On aurait fait l'obscurité dans la boutique, on aurait actionné la boîte à illusions et l'on aurait vu se dessiner sur le mur toutes sortes de figurines animées et colorées, figurines désuètes rappelant les automates du XVIIIe siècle ou les dessins pour enfants des livres d'écolier de l'Allemagne de Weimar.

Noter toutes les différences. Les plaques avant et arrière des autos. Je me souviens. Montréal je t'aime. J'aime ma femme. L'emblème des Canadiens, l'emblème des Expos, ou des prénoms, des lieux : Gaspé, Rivière-du-Loup, Saint-Georges-de-Beauce. Une fois aussi, par exception, Allende te recuerdo, Chile no te olvido. Le drapeau italien, le drapeau grec ou la feuille d'érable, ou la fleur de lys ou à la fois du bleu et du rouge, la feuille d'érable et la fleur de lys.

Tout noter. Ne rien oublier. L'urgence. Tout emmagasiner, comme si tu devais te retrouver tel Robinson sur son île et ne plus rencontrer Montréal que par traces, signes, symboles, fragments sans signification, morceaux, débris, tessons hors d'usage. L'amour obsessionnel des listes, des inventaires, des archives. Historienne du rien, du fugace. Angoisse de la trace à garder. Ne jamais rien épousseter. Ne pas faire le ménage, ne pas respirer de peur que ton propre souffle ne fasse envoler ces quelques restes. Tout garder. Tout emmagasiner. Se fabriquer à l'avance tous ces souvenirs. Papiers jaunis des journaux, des chèques, des feuilles d'impôts, cartes de crédit périmées, fourre-tout, fonds de sacs jamais rangés, jamais vidés, épaisseur des strates de quotidien mort. Ne pas faire le ménage. Conserver toutes les traces. Se fabriquer dans la tête ou sur le papier son propre *Étoile du matin : Antiques*.

Guedali, pour qui écrire ?
　　　　et dans quelle langue ?
Les hassidim d'Outremont parlent yiddish, mais
qu'est-ce que j'ai de commun avec eux en dehors du
travail des mots et de la mémoire ?

　　　Métro Grenelle. Après Grenelle. Je ne sais plus
　　　　　La ligne se perd dans ma mémoire
　　　　　　　　les Juifs
　　　　　　　　doivent
　　　　　　　　prendre
　　　　　　　　　le
　　　　　　　　dernier
　　　　　　　　wagon.
　　　Il faisait beau ce 16 juillet 1942
　　　autour de la rue du Dr Finlay,
　　　　　　de la rue Noccard,
　　　　　　de la rue Nelaton.
　　Autour de Grenelle, XVe arrondissement.
　　　　　Wurden vergast.
　　L'opération s'appelait
　　　　　VENT PRINTANIER.
　　　　Jamais revenus.
　　　　Du côté de Grenelle
　　　　Guedali qui s'en souvient ?

La parole immigrante inquiète. Elle ne sait pas
poser sa voix. Trop aiguë, elle tinte étrangement. Trop
grave, elle déraille. Elle dérape, s'égare, s'affole, s'étiole,
se reprend sans pudeur, interloquée, gonflée ou exsangue
tour à tour. La parole immigrante dérange. Elle déplace,
transforme, travaille le tissu même de cette ville éclatée.
Elle n'a pas de lieu. Elle ne peut que désigner l'exil,
l'ailleurs, le dehors. Elle n'a pas de dedans. Parole vive et
parole morte à la fois, parole pleine. La parole immi-

grante est insituable, intenable. Elle n'est jamais où on la
cherche, où on la croit. Elle ne s'installe pas. Parole sans
territoire et sans attache, elle a perdu ses couleurs et ses
tonalités. On ne peut pas l'accrocher. Parole féta, parole
bagel, parole pistache, parole poivron, parole cannelle,
elle a perdu son nom, sa langue et ses odeurs.

      Guedali pour qui écrire et dans quelle langue ?
Étoile du matin chagrin. Mortre couleur de ciel, cafard,
blafard. Barbudo perdu au fond de ta brocante, ta pipe
d'amsterdamer à la bouche, Bilou sur ton voltaire violet,
Mime Yente près de ton samovar de Jitomir et toi et moi
et elle marchant dans cette ville, qui s'effondre en toi, qui
s'absente en toi.

      Est-il vrai que le juste ait dit: « Tu te souviens de
toute éternité de tout ce qui s'oublie. » Tu ne marcheras
plus dans la neige le soir après la tempête, lorsque le ciel est
redevenu clair et qu'on aperçoit, dans les rues, les intérieurs
brillamment éclairés, les bûches qui se consument dans les
cheminées des salons. Tu n'iras plus au printemps voir la
pousse des lilas dans les jardins de Notre-Dame-de-Grâce,
tu n'iras plus l'été au marché Jean-Talon chercher des
tomates, de l'ail en tresse et des poivrons. Tu n'iras plus
déambuler sur l'avenue du Parc à la recherche d'un ami
grec rencontré autrefois à Delphes faisant le boniment pour
les touristes. Tu n'iras plus sur Saint-Urbain ou sur la Main
entendre la langue rude de Janos, Janos de la colline des
roses et de l'île Marguerite. Tu ne reverras plus les rosiers
des jardins de Westmount ou d'Outremont, ni les enfants
piaillant de l'est de la ville. Tu n'iras plus dans les bistros
décapés de la rue Saint-Denis ou de la rue Drolet. Plus de
bagels de la rue Saint-Viateur, plus de smoked meat chez
Schwartz, plus de cheesecake chez Pumpernick. Tu ne
resteras plus à écouter longuement le silence coupé par le
passage des avions commençant leur descente sur Dorval.

Épuisée sans doute,
Morcelée.

Un jour comme ça, elle aurait décidé de partir.
Mime Yente haussant les épaules n'aurait pas cherché à
la retenir, ni lui au fond de la boutique, derrière la table
bistro et la vieille caisse enregistreuse, ni Bilou vautré sur
les voltaires violets vifs. Ni personne. Elle aurait pris
l'avion à Mirabel, Air-France, 20 h 45. Les livres
suivraient en fret aérien et quelques meubles par bateau,
en container. La France aurait changé.

Elle reprendrait le métro comme ça, par habitude,
sans jamais dépasser Grenelle.

La Motte Piquet Grenelle. Le canon de Grenelle.
Ferraille grise et sonore du métro aérien. Le bouquet de
Grenelle. Le bar des sports. Le Pierrot. Paris se déchire.
Sans ordre, ni chronologique, ni logique, ni récit. Rien
que Paris au métro Grenelle.

Collections. Listes. Inventaires. Magie des noms
propres.

On la retrouverait dans les mêmes bistros.

— Un déca, s'il vous plaît, et un paquet de gauloises sans filtres.

À nouveau, le Paris mouillé et gris de son
adolescence, à nouveau le vacarme des machines à sous,
les rumeurs anonymes au fond des bistros, les freins qui
grincent au feu rouge, le reflet de la croix verte des pharmacies dans les flaques d'eau. À nouveau, les manifestations de la Nation à la République, à nouveau les défilés
du premier mai. À nouveau… à propos, il paraît que la
place du Québec est à Saint-Germain-des-Prés.

Paris — Montréal
1979-1981

Postface

De nouveaux jardins aux sentiers qui bifurquent

Mon livre, il y a dix ans se voulait une expérimentation à la fois littéraire et sociale. Je n'avais d'autre ambition, en reprenant les techniques du collage, que de fictionnaliser l'inquiétante étrangeté que crée le choc culturel, d'autant plus grand chez moi, qu'il avait lieu dans une langue commune. Comme quoi la langue commune peut être un leurre. Elle n'est en rien la culture, loin de là ! Le livre fut diversement apprécié, mais il fit son petit bonhomme de chemin puisqu'il se trouva totalement épuisé, maintes fois commenté et étudié, tant et si bien que les éditions XYZ me font le grand honneur de le rééditer.

Ce roman figure souvent dans les ouvrages généraux ou les articles qui lui ont été consacrés sous la rubrique de roman « ethnique ». Ce que cette catégorie mal à propos signifie dans la circulation du discours social québécois actuel, c'est que, comme nombre d'autres, il s'agit d'un roman écrit par un écrivain qui n'est pas né au Québec, qui vient donc d'ailleurs, qui, tout en écrivant en français, a peut-être laissé derrière lui une autre langue, maternelle, vernaculaire ou autre encore. Un écrivain qui a donc un autre pays d'origine et qui a eu à se battre avec lui-même pour s'adapter à ce nouveau pays. Choc culturel s'il en fut, parce que, francophone au départ ou pas, il est en fait confronté à quatre entités qui ne sont en rien superposables. Comme tous les émigrants, il vient au Canada, et si ce terme n'a pas toujours une signification émotive pour les écrivains québécois, il en a toujours une pour le nouvel arrivant, même pour le nouvel arrivant cultivé, pas aliéné, au courant des plaines d'Abraham, de *Speak White* et du martyre du père Brébeuf. Il s'aperçoit très vite que le Québec n'est pas une province comme les autres, qu'elle a bien sociologiquement parlant une spécificité, une identité distincte dont la langue et le code civil ne sont que la pointe de l'iceberg; qu'en réalité, il va se heurter à la fois à une sociabilité éminemment ouverte et sympathique — la chaleur de l'accueil des Québécois est proverbiale — et à une fermeture due au poids de mémoire que l'imaginaire québécois entretient sur sa propre identité depuis *Nègres blancs d'Amérique* jusqu'à cette extrême sensibilité paranoïaque qui fait que, des propos de Mordecai Richler au récent *Guide du routard* en passant par un article touristique sur la ville de Québec dans le journal *Le Monde* ou une thèse d'histoire qui mit à mal la mémoire de Lionel Groulx, tout est ici matière à ressentiment, matière à faire jouer le syndrome de la « forteresse assiégée », de la petite nation menacée, du peuple humilié qui risque de disparaître, etc. Il va falloir que l'écrivain émigrant, porteur d'un autre imaginaire face avec cela. *Love it or leave it. Love it or leap it. Love it or lift it.*

   Cet écrivain émigrant habite en général Montréal, la vraie rencontre, je dirais, la vraie patrie au sens de la patrie imaginaire de Salman Rushdie, celle où l'on peut s'installer en se sentant chez soi; la ville cosmopolite, la

ville où l'on entend parler toutes les langues, où les
odeurs de tous les marchés du monde vous assaillent, la
ville où l'on peut dans la même boutique acheter *Le
Monde* et le *New York Times*, la ville avec des libraires
françaises et des libraires anglaises, avec des chaînes de
télévision québécoises, françaises, canadiennes-anglaises
et américaines et même des chaînes dites ethniques un
peu folkloriques; un patchwork de programmes, de
cultures, de langues, d'informations et de désinforma-
tions spécifiques. Quel bonheur! Mélange de tout, bonheur de ce mélange! Non pas mélange sans principe, non
pas babélisme de bazar, mais hybridité des formes, des
vocables, des sons, richesse de l'altérité.

　　Et puis, bien entendu, l'écrivain émigrant est aux
prises avec son pays d'origine, qu'il l'ait quitté pour des
raisons politiques, économiques, ou tout simplement per-
sonnelles. Il lui faut faire un certain travail du deuil, ou
un réaménagement mémoriel. Ce travail n'est pas simple
et c'est souvent pour cela que l'on se met à écrire. Pour
se supporter ailleurs, pour creuser en soi une nouvelle
altérité, pour domestiquer la nostalgie et mettre à distance
l'inquiétante étrangeté du dedans-dehors. Qui suis-je à
présent, et quelle place puis-je me faire dans cette société
à trois places (le Canada, le Québec, Montréal)? Quelle
place, non pas au sens économique encore que ce problème ne soit pas secondaire, quelle place dans l'institu-
tion littéraire qui, comme toutes les institutions littéraires
a ses propres traditions, et surtout quelle place identitaire
et imaginaire, ou pour le formuler autrement comment
vais-je contribuer à transformer l'imaginaire d'ici? *Vox
clamavit in deserto*. À assumer ce silence, cette indé-
codabilité de ce qu'on a à dire et qui ne peut s'entendre.

　　Ce sont toutes ces questions qui se profilaient dans
l'écriture de *La Québécoite*, mais il y a dix ans, il était

encore trop tôt peut-être pour l'entendre. On ne parlait
pas au Québec comme aujourd'hui de pluralisme culturel,
voire de multiculturalisme à la mode québécoise; on ne
savait pas trop quoi faire avec les «communautés culturelles». Comme si un écrivain avait lui, à se préoccuper
des communautés culturelles comme s'il allait rejouer le
scénario du ghetto et de l'enfermement. Salman Rusdie le
formule excellemment:

> Il reste une dernière idée que j'aimerais explorer
> […]. C'est celle-ci: de tous les nombreux pièges à
> éléphants qui nous attendent, la fosse la plus
> grande et la plus dangereuse serait l'adoption
> d'une mentalité de ghetto. Oublier qu'il existe un
> monde au-delà de la communauté à laquelle nous
> appartenons, nous enfermer à l'intérieur de fron-
> tières culturelles étroitement définies, serait à mon
> avis entrer volontairement dans cette forme d'exil
> intérieur qu'en Afrique du Sud on appelle *home-
> land*. Nous devons nous garder de créer, pour des
> raisons les plus vertueuses des équivalents litté-
> raires indobritanniques du Bophuthtswana ou du
> Taranskei [1].

L'écrivain s'invente ses propres filiations. Fils de
Kafka et de Cervantès, fille de Flaubert et de Melville!
Salman Rushdie encore:

> […] mais nous sommes inéluctablement des écri-
> vains internationaux dans une époque où le roman
> est plus que jamais une forme internationale (un
> écrivain comme Borges parle de l'influence de

---

1. Salman Rushdie, *Patries imaginaires*, Paris, Christian
Bourgois, 1993 p. 30.

Robert Louis Stevenson sur son œuvre; Heinrich Böll reconnaît l'influence de la littérature irlandaise; la pollinisation croisée est partout); et une des libertés les plus agréables de l'immigrant littéraire est peut-être celle d'être capable de choisir ses parents. les miens — choisis en partie consciemment en partie inconsciemment — comprennent Gogol, Cervantès, Kafka, Melville, Machado de Assis: un arbre généalogique polyglotte auquel j'aimerais avoir l'honneur d'appartenir [2].

Ne pas se constituer en ghetto, ne pas écrire de la littérature « ethnique » précisément, mais comment ? Car il existe aujourd'hui deux courants dans la littérature québécoise: un courant que j'appellerai « légitime » pour ne pas utiliser le mot si galvaudé et si plein de danger de « souche » et celui de l'écriture migrante, la fameuse écriture « ethnique » dont *La Québécoite* a été en son temps une figure emblématique. Du côté de la littérature légitime, on sait à quel point cette dernière a eu du mal à sortir du « texte national » pour parler comme Jacques Godbout, à sortir de la littérature mineure au sens où Kafka la définissait.

La littérature mineure se dit en allemand *kleine Litteratur*, soit en traduction littérale, « petite littérature » avec l'ambiguïté qui joue aussi bien sur « littérature mineure » que sur « petite littérature », à savoir la littérature d'un petit peuple, peu nombreux, qui n'est pas dans la légitimité des grandes puissances, peuple souvent dominé et qui a dû lutter pour s'imposer; mais aussi, mineure ou petite par la qualité, n'arrivant pas ou

---

2. *Ibid.*, p. 31.

difficilement à sortir de la nécessité où historiquement
cette culture s'est trouvée d'avoir à parler d'abord de ses
problèmes, de son enfermement, de son imaginaire
défensif et souvent paranoïaque. Cette littérature, nous dit
Kafka est immédiatement politique. Tout y est national,
elle est comme le journal tenu par la nation; les écrivains
sont choyés par le peuple. Même s'ils n'ont pas un
énorme talent, ils sont promus, placés au premier plan,
considérés comme importants, étant donné la fonction
sociale qu'ils remplissent. L'absence de traditions leur
laisse le champ libre. Ils ne sont pas traumatisés par la
stature d'une grande figure littéraire, d'un Goethe par
exemple. Ils peuvent innover à leur guise etc. S'il est vrai
que durant longtemps, la littérature québécoise a eu
tendance à se constituer comme littérature mineure et à
évoluer dans ce cadre, depuis de nombreuses années les
choses ont bougé, transformation qui s'est accélérée dans
les années quatre-vingt. En vrac si l'on veut bien me
suivre : un référendum perdu, une entrée furieuse dans le
Hightech, la société du fric, de la performance, des technocrates et des bureaucrates, une société de l'instrumen-
talisation et des nouvelles formes de normalisation. Partie
du peuple-classe, de la petite nation dominée, la société
québécoise se retrouve avec une vraie bourgeoisie, de
vrais pauvres, et des Amérindiens qui lui contestent sa
place dans la hiérarchie du malheur et sa place dans le
mythe de la fondation de ce lieu. Les Québécois devien-
nent des immigrants comme les autres à cette différence
près, qu'arrivés au XVIIe ou au XVIIIe siècle ils ont eu le
temps de se forger un imaginaire collectif et des mythes
de fondation, de se constituer un vernaculaire qui n'appartient qu'à eux et qui est la marque identitaire par ex-
cellence, le stigmate qui sera retourné en valeur suprême ;
ayant eu le temps de se forger un imaginaire de « peuple »

et non pas de « minorité ». Puis, un nouveau référendum confus, presque pour rien, une demi-victoire. On efface tout et on recommence. Un Québec-Pénélope qui tisse et détisse ce qu'il fait, un pas en avant, deux en arrière. L'entrée aussi dans la postmodernité avec de nouvelles interrogations. On a pu même se demander si la société québécoise n'avait pas subi le télescopage du passage de la société traditionnelle à la postmodernité sans vraiment passer par la modernité. Nouvelles interrogations, nouveaux essais, nouvelles fictions, nouvelles écritures. Une nouvelle façon de cerner l'identité. Cette littérature a eu aussi à faire face dans son questionnement à la prégnance aussi de l'immigration et à ses problèmes. De là, la nécessité d'une plongée dans l'hétérogène et l'obligation d'y aller voir de plus près, de Kafka à Bakhtine, de Vice-versa aux théories de la traduction, de « l'épreuve de l'étranger » du regretté Antoine Berman à la figure emblématique du flaneur chez Walter Benjamin. Les interrogations se sont déplacées. Non que le « texte-national » ait été renversé. Ce n'est pas comme cela que l'imaginaire social évolue. Pas renversé, non mais déplacé, déconstruit-reconstruit autrement; les pièces du puzzle identitaire se sont disposées autrement. De Simon Harel à Michel Morin, de Nicole Brossard à Jacques Poulin, de Pierre Nepveu à Monique Larue, de Réjean Ducharme à Francine Noël, les interrogations se sont problématisées, une nouvelle conscience de l'américanité s'est déployée, une nouvelle interrogation sur le passé et sur la mémoire. Une véritable reproblématisation de l'identité. Pourtant, je dirais que plane comme une menace un toujours-là, une trace prête à reconquérir sa place, le nationalisme, qui est un fléau en littérature. Laissons donc sur ce plan la parole à Danilo Kis qui savait de quoi il parlait. On excusera la longueur de la

citation, elle en vaut la peine par sa charge polémique qui
ne me déplaît pas:

> Le nationalisme est avant tout une paranoïa [...]
> une paranoïa collective et individuelle. En tant que
> paranoïa collective, elle est la conséquence de
> l'envie et de la peur, et surtout la conséquence de
> la perte de la conscience individuelle; cette para-
> noïa collective, donc, n'est rien d'autre qu'un ens-
> emble de paranoïas individuelles portées à leur
> paroxysme. [...] Il devient alors membre d'une
> société pseudo-maçonnique qui se donne, du
> moins apparemment, comme devoir et objectif de
> résoudre les problèmes essentiels de l'époque: la
> survie et le prestige de la nation, ou des nations, le
> maintien de la tradition et la sauvegarde du trésor
> national, folklorique, philosophique, éthique, litté-
> raire, etc. Investi d'une telle mission, secrète,
> semi-publique ou publique N. N. devient un
> homme d'action, un tribun populaire, un semblant
> d'individu. Une fois que nous le ramenons à cette
> dimension, sa véritable dimension, après l'avoir
> isolé du troupeau [...] nous avons devant nous un
> individu sans individualité, un nationaliste, un
> cousin Jules. C'est le Jules de Sartre, le raté de la
> famille, dont la seule particularité est de blêmir
> dès qu'on aborde en sa présence un thème et un
> seul: les Anglais. Cette pâleur et ces tremble-
> ments, son «mystère» — pouvoir blêmir à la seule
> mention des Anglais — c'est ce qui constitue son
> unique identité sociale et cela le rend important, le
> fait exister: ne parlez surtout pas de thé anglais
> devant lui, sinon tous les convives vont se mettre à
> vous faire des clins d'œil, à vous donner des coups
> de pied sous la table, car Jules est allergique aux
> Anglais, pardieu, tout le monde le sait, Jules dé-
> teste les Anglais (et adore les siens, les Français),

en un mot, Jules est une personnalité, il devient
une personnalité grâce au thé anglais [3]...

Comment ne pas préférer à tout ce qui cherche à
essentialiser la littérature et l'identité dans une ligne qui
va du biologique (le sexe), au culturel et à la langue, ce
questionnement d'un Gombrowicz ce Polonais se
retrouvant en Argentine, cette formulation qu'on trouve
dans son journal :

> J'aime et j'estime l'Argentine...oui, mais quelle
> Argentine? Je n'aime ni n'estime l'Argentine...
> non, mais quelle Argentine? Je suis l'ami de
> l'Argentine naturelle, simple, terre à terre, popu-
> laire. Je suis en guerre avec l'Argentine supé-
> rieure, déjà apprêtée, mal apprêtée [4] !

Oui, malgré une ouverture plurielle très réelle de la
littérature légitime québécoise, un certain nombre d'acteurs et d'écrits, de Yves Beauchemin à Claude Jasmin,
du film *Disparaître* de Lise Payette aux propos de Serge
Turgeon à la commission Bélanger-Campeau et bien
d'autres, témoignent que ce danger, le nationalisme en
littérature, est loin d'être dépassé.

De l'autre côté, la tentation du ghetto, y compris
d'un ghetto chic, celui de l'altérité systématique. Je ne dis
pas cela pour le travail d'un Marco Micone, d'un Gérard
Étienne, d'un Émile Ollivier, d'une Mona Latif-Ghattas,
d'un Dany Laferrière, d'un Naïm Kattan, etc., mais le
danger est là. Il est d'autant plus fort qu'il peut devenir le

---

3. Danilo Kis, *La lecon d'anatomie*, Paris, Fayard, 1993, p. 28.
4. Witold Gombrowicz, *Lieux de l'écrit Gombrowicz*, Paris,
Marval, 1993, p. 5.

symétrique du nationalisme. Ce phénomène nous vient du fédéral, mais il pourrait bien connaître sa variante québécoise. Il s'agit de l'*appropriation culturelle*. Il existe une recommandation du Comité consultatif pour l'égalité raciale dans les arts du Conseil des Arts du Canada, brochure bilingue de janvier 1992, qui en dressent les contours. Quelques jalons au sujet de ce problème.

Un article de la *Gazette* de Montréal en date du 26 septembre 1992, faisait état d'une querelle concernant la mise en scène d'une pièce australienne dont l'intrigue se passe en Tanzanie. Un certain metteur en scène la monte donc, mais il rencontre toutes sortes d'obstacles jusqu'à ce qu'il découvre qu'il existe dans les milieux anglophones du théâtre à Montréal et plus largement au Canada, un consensus non écrit selon lequel seuls des Noirs peuvent monter une pièce noire, ou si le metteur en scène est blanc, il lui faut l'accord d'un membre représentatif de la communauté noire et ainsi de suite. Une femme ne pourrait parler que de femmes, un homme que d'hommes, et encore de sa propre couleur, un Italien ne pourrait représenter que des Italiens, etc. On n'avait pas encore vu un tel apartheid culturel se mettre en place. Le Conseil des Arts a trouvé un terme pour désigner le crime : il s'agit de l'*appropriation culturelle*. L'auteur de l'article faisait remarquer qu'à ce compte-là, on aurait dû interdire les spectacles d'Ariane Mnouchkine, en tournée à Montréal précisément. En portant à la scène les Atrides d'Eschyle, elle dirige des acteurs de pays non européens en leur laissant leur accent en français, emprunte au théâtre indien et japonais, mélange les musiques, revivifie les Classiques par cette hybridité culturelle et cette hétérogénéité en se moquant bien de faire estampiller ses emprunts.

Il y eut un incident au point de départ. Le centre des femmes de Concordia a rejeté un tableau de l'artiste Lynn

Robichaud parce qu'il reproduit « des stéréotypes méprisants envers les femmes de couleur et envers toutes les femmes ». Les organisatrices ont informé Lynn Robichaud qu'en tant que femme blanche, elle devait s'abstenir de dépeindre des femmes de couleur. Le Conseil des Arts constatant que « les questions reliées à l'appropriation culturelle » sont de plus en plus soulevées par les jurys du conseil, donnait un certain nombre de conseils sur l'appropriation culturelle et l'appropriation de la voix. Le Conseil des Arts croit qu'il existe quelque chose comme la « voix » d'une collectivité, que c'est une unité discrète, tangible, délimitable, assignable, que c'est une unité réelle, et que donc on peut se l'approprier. On pourrait mettre une étiquette à chaque culture. Chaque culture aurait ainsi une essence quon pourrait voler au légitime propriétaire. Possession exclusive des territoires de l'imagination ! En effet, pour utiliser un symbole, un personnage, une métaphore, il faudrait l'autorisation expresse du peuple ou de la communauté propriétaire de ce symbole. Par exemple, un artiste non amérindien ne saurait figurer tel ou tel totem dans une toile sans le consentement écrit de la tribu dont le totem fait office d'emblème sacré. Interdiction de faire parler dans un roman ou dans une pièce de théâtre un personnage dont l'auteur ne partage pas l'origine raciale. Par exemple, un romancier blanc ne saurait en toute impunité s'approprier la voix d'une femme noire. Seule une romancière noire pourrait le faire. Elle seule serait en mesure de traduire de façon authentique, l'essence de la vie, l'intonation de voix, la mentalité propre à une noire. Fantasme d'adéquation et méconnaissance totale de l'imagination, de l'art, de la création. Indétermination des identités. La postmodernité, mais au-delà tout processus d'écriture se caractérise comme le baroque par une mise en pièces de l'authenticité, par un usage ludique et même irrespectueux, dénaturé, dénaturant de la citation, de l'intertexte, du collage, du montage. En apparence, on se montre respectueux des cultures minoritaires mais en fait, le remède est pire que le mal. La culture fait exploser tous les dispositifs d'enracinement. Elle est une traversée sans passeport ni visa. Salman Rushdie n'a qu'à bien se tenir, il n'a que ce qu'il mérite. Il cherche à s'approprier l'islam lui qui est athée, même s'il est originaire de cette culture mais il est irrespectueux envers le prophète. Il n'a pas demandé l'autorisation, il ne l'aurait pas obtenu, il aurait écrit autre chose mais quoi? Sur l'Angleterre, comme dans l'ouvrage de Naipaul *The Enigma upon Arrival*, mais pourquoi un écrivain originaire des Indes se mêlerait-il de donner ses impressions sur les jardins d'Angleterre sans en avoir l'autorisation? Non, seuls de vrais Anglais peuvent parler de l'Angleterre. Quant à Shakespeare qui se permet de mettre à mal un pays ami en disant qu'il y a quelque chose de pourri au royaume du Danemark, de quel droit? A-t-il au moins une grand-mère danoise?

Laissons ces niaiseries, mais c'est bien à tout cela que dix ans après *La Québécoite* nous sommes tous confrontés. À une essentialisation, une substantialisation des cultures des langues et des écritures que ce soit par le biais du nationalisme ou par le biais de la « propriété culturelle ». Chacun chez soi. Et pourtant! Cette année, Patrick Chamoiseau a obtenu le prix Goncourt, Derek Walcott, le prix Nobel de littérature et Mikael Ontajee, le Booker Price. Ce n'est certainement pas un hasard. Écrivant en français, mais le plus souvent en anglais, ces écrivains venus d'ailleurs insufflent quelque chose de nouveau à la langue et des formes nouvelles à la littérature. Il faudrait avoir le courage de donner le prix Nobel à Salman Rushdie qui incarne un symbole. Celui de l'homme libre, ce qui peut sembler paradoxal, étant donné sa situation, qui revendique le droit d'être un individu qui peut donc jouer avec son origine, s'en déprendre, y revenir, l'ironiser, la mettre à distance, la distordre, le droit de blasphémer, le droit d'écrire tout simplement.

Venus d'ailleurs, d'une autre culture et vraisemblablement au début d'une autre langue vernaculaire même si la socialisation scolaire s'est faite en anglais ou en français. Dans un article publié en 1983 consacré à Derek Walcott, Joseph Brodsky autre exilé écrivant à la fois en anglais et en russe, mais principalement en russe et vivant aux États-Unis, écrit :

> Comme les civilisations ont une fin, dans la vie de chacune il survient un moment où les centres ne tiennent plus. Ce qui les empêche alors de se désintégrer, ce ne sont pas les légions, mais les langues. Ce fut le cas à Rome, et avant elle, de la Grèce héllénistique [5].

Récemment, Paul Pachet se demandait ce qui faisait que l'anglais arrive à devenir la langue de tant d'écrivains venus d'ailleurs alors que le français pour le moment y arrive plus difficilement.

> J'envie les Anglais.
> Je les envie d'avoir un Naipaul, un Rushdie. Je me demande ce qu'ils ont réussi, que la France a raté. Je me demande ce qui reste de l'empire colonial, qui fut si impressionnant, mobilisa tant d'énergie, de dévouement, de convoitise, causa tant de

---

5. *Le Monde*, 9 octobre 1992, p. 34.

souffrance, fit naître tant d'espoirs. Puisqu'il s'agit
de littérature, d'essais, de l'art d'écrire et de penser, je me demande s'il n'a pas manqué au modèle
français une vertu si frappante dans l'art de
Naipaul : le goût du réel. On le sait, la culture française a largement diffusé des idéaux universalistes,
une aisance dans le maniement de l'abstraction, un
art de la conversation, de l'ironie, de l'éloquence
politique [...] Risquons une hypothèse très spécu-
lative [...] de la même façon que l'administration
coloniale française, à l'exception notable de
Lyautet, homogénéisait les lois, les programmes
scolaires, les divisions territoriales (ou prétendait
le faire), quand l'administration britannique se
souciait (le lui a-t-on assez reproché) de maintenir
les singularités locales, les différences de territoire
et d'ethnie à ethnie, de même, ne pourrait-on pas
dire que la culture française prétendait donner trop
facilement, trop rapidement, les moyens de domi-
ner les choses, de les voir dans leur généralité,
d'en traiter magistralement à l'abri d'un style ?
Les poètes Senghor et Césaire, naguère si représentatifs de la « négritude » sont en fait des sty-
listes à la française. Par contraste, l'œuvre désormais si variée, si considérable de Naipaul est une
démonstration des pouvoirs de l'attention au réel
et aux individualités. Dès lors, elle donne aussi
une démonstration quasi expérimentale du travail
que l'écrivain a accompli sur lui-même. Parti pour
devenir un écrivain anglais sur le modèle de
Somerset Maugham, D'Aldous Huxley, d'Evelyn
Waugh, raconte-t-il dans *L'énigme de l'arrivée*, il
lui fallut six ans pour, en une sorte d'illumination,
se résoudre à chercher dans la direction qui était la

sienne propre, celle des souvenirs emmagasinés à Trinidad, ressaisis dans leur complexité naïve [...] Une des réussites de *L'énigme de l'arrivée*, de Naipaul, tient justement à sa description attentive de la campagne anglaise. Il raconte comment il s'y installe, émigré aux aguets, persuadé qu'il sort d'un monde instable, en pleine mutation, celui des ex-colonies, pour s'installer dans l'univers stable de l'Occident riche. Et il découvre et nous fait découvrir peu à peu que ce monde rural et résidentiel de la campagne anglaise est comme tout monde humain habité par la mort, par le changement et l'instabilité [6].

Il nous faut donc tout dévoyer, tout nous approprier et nous désapproprier. L'écrivain est un voleur de mythes, de mots, d'images, un passeur de mémoire fictionnalisée. L'écrivain est un être qui dérange, il est une conscience qui problématise l'Histoire.

La grande chance de la littérature québécoise aujourd'hui est de pouvoir faire dialoguer, même dans le conflit et la polémique (engueulons-nous, bon Dieu, engueulons-nous, mais au moins commençons à nous parler) les deux courants de la littérature québécoise, le courant légitime et l'écriture migrante, de les faire se métisser, se détisser, se ressourcer par cette grande chance d'être en Amérique, près de l'anglais (on me pardonnera ce sacrilège. La proximité de la langue anglaise est un bonheur pour l'écrivain et non un stigmate, un danger ou une tare), près de racines ou d'origines européennes multiples qui passent par de multiples

---

6. Paul Pachet, *Un à un*, Paris, Seuil, 1993, p. 75-76.

langues, de multiples héritages culturels même à l'état de bribes, près, bien entendu, du vernaculaire québécois dont les écrivains d'ici, débarrassés de l'idéologie du joual savent faire un si heureux usage, près d'un frottement des langues dont Bakhtine disait qu'il est une des conditions du roman.

Alors, *La Québécoite* dix ans après a fait du chemin, un peu moins quoite, à la recherche comme nous tous de nouvelles formes d'écriture pour inscrire la multiplicité baroque ou postmoderne du Québec contemporain avec ses contradictions, son expérimentation permanente, son ouverture, son rêve d'ailleurs, son effronterie, ses maladresses, ses susceptibilités de vierge offensée. Tout cela appelle le dévoiement des cultures et non leur respect *politically correct* qui équivaudrait à la mort de la littérature. Les écrivains du Sud *tropicalisent* le roman de langue française dit Milan Kundera. À notre tour, que nous soyons du Sud, du Nord, de l'Est ou de l'Ouest ou d'ailleurs, il nous faut — et c'est peut-être la possibilité des écritures périphériques ou périscopiques comme disait Queneau — il nous faut troubler l'écriture, faire des grumeaux dans la béchamel de l'identitaire et de l'essentialisme, empêcher la mayonnaise de la pureté culturelle ou linguistique de prendre, redevenir ce que l'écrivain n'aurait jamais dû cesser d'être, non pas des porte-paroles de la « nation » une telle ou de la « minorité » une telle, mais des écrivains tout simplement, des semeurs de m... Dans une de ses nouvelles, Borges évoque un jardin et un labyrinthe curieux

> [...] naturellement je m'arrêtai à la phrase : « Je laisse aux nombreux avenirs (non à tous) mon jardin aux sentiers qui bifurquent. » Je compris sur le champ ; le *jardin aux sentiers qui bifurquent*

était le roman chaotique; la phrase *nombreux avenirs (non à tous)* me suggéra l'image de la bifurcation dans le temps, non dans l'espace. [...] Dans toutes les fictions chaque fois que diverses possibilités se présentent l'homme en adopte une et élimine les autres; dans la fiction du presque inextricable Ts'ui Pên, il les adopte toutes simultanément. Il crée ainsi divers avenirs, divers temps qui prolifèrent aussi et bifurquent [7].

Ne pourrait-on pas revisiter ce jardin, et au lieu d'éliminer des allées, les emprunter toutes et se perdre, dans le labyrinthe de la littérature ?

Il me semble que nous sommes en attente d'une grande littérature borgesienne ici. Car enfin, le Québec est par essence un pays borgesien, une fiction faite réalité improbable, un lieu postmoderne dont on ne peut jamais savoir s'il est une copie, un original, une version doublée d'un film qui n'existe pas, un labyrinthe impossible de contradictions entre son rapport au Canada, aux « Anglais », aux Amérindiens, à ceux qui parlent français et à ceux qui parlent anglais, aux Immigrants, ces éternels fédéralistes en puissance; avec son passé indigeste de la Grande Noirceur qu'on s'efforce de rendre un peu plus grise aujourd'hui, entre ses enfants de Duplessis et les pleurs éternels de la petite Aurore, entre ses ligues d'improvisations, et ses Maheu, ses Lepage, son prodigieux déploiement artistique en arts virtuels et en chorégraphie. Cette identité introuvable (heureusement !) ne serait-elle pas faite pour l'essentiel d'un effort inconscient qui vise

7. Jorge Luis Borgès, *Le jardin aux sentiers qui bifurquent*, dans *Œuvres complètes*, Paris, La Pléiade, t. I, 1993, p. 505-506)

perpétuellement à se trouver au bord de, sur le point de,
sans jamais franchir le pas; à en rester au mode sub-
jonctif, dans le fantasme, dans une potentialité qu'il ne
faut surtout pas actualiser; sur le bord de l'indépendance,
sur le bord de l'américanité sur le bord du postmoder-
nisme, sur le bord de la canadianité, etc. La fiction des
bords en somme, et pas seulement des frontières et des
contacts. *La Québécoite* était une fiction des frontières. À
nous d'affronter aujourd'hui une fiction du bord infran-
chissable, d'une fragilité forte éminemment borgesienne,
à nous de créer de nouveaux jardins aux sentiers qui
bifurquent.

mai 1993

Notes biographiques

Régine Robin est née en décembre 1939, de parents juifs polonais qui venaient de s'installer à Paris quelques années auparavant.

Elle a fait ses études en France, à Paris (le lycée, la Sorbonne, l'École supérieure, l'agrégation d'histoire, le doctorat 3e cycle et le doctorat d'État). Elle a été professeur au lycée de Dijon pendant cinq ans, puis assistante et maître-assistant à l'Université de Paris-Nanterre. Depuis 1982, elle est professeur au Département de sociologie à l'Université du Québec à Montréal.

Historienne, linguiste et sociologue, elle s'intéresse à la littérature, aux langues (elle parle allemand, anglais, espagnol, russe et yiddish) et à la traduction. Spécialiste du réalisme socialiste, elle a mérité le prix du Gouverneur général 1987 pour *Le réalisme socialiste : une esthétique impossible*.

Préoccupée par la question du multiculturalisme et du métissage culturel, elle a fait beaucoup de recherches sur le sujet. Elle porte aussi une attention soutenue au post-modernisme.

Régine Robin publiera sous peu un recueil de nouvelles intitulé *Identités et mémoires virtuelles* à paraître chez XYZ éditeur.

Bibliographie

La société française en 1789: Semur-en-Auxois, thèse pour le doctorat de troisième cycle, Paris, Plon, 1970, 520 p.

Histoire et linguistique, Paris, Armand Colin, 1973, 306 p. Une traduction portugaise de cet ouvrage est parue en 1978 à Rio de Janeiro (Brésil).

L'amour du yiddish: écriture juive et sentiment de la langue (1830-1930), Paris, Éditions du Sorbier, 1984, 322 p.

La réalisme socialiste: une esthétique impossible, Paris, Payot, 1986, 348 p. Une traduction portugaise de cet ouvrage paraîtra à Rio de Janeiro (Brésil).

Kafka, Paris, Belfond, 1989, 366 p.

Le roman mémoriel: de l'histoire à l'écriture du hors-lieu, Montréal, Éditions du Préambule, 1989, 198 p.

La sociologie de la littérature, avec Marc ANGENOT. Montréal, CIADEST, cahier n° 4, 1991, 58 p.

Socialist Realism: An Impossible Aesthetic, Stanford (CA), Stanford University Press, 1992, 384 p.

Le deuil de l'origine: une langue en trop, la langue en moins, Vincennes, Presses universitaires de Vincennes, sous presse.

Réception critique

FRÉDÉRIC, Madeleine, « L'écriture mutante dans *La Québécoite* de Régine Robin », *Voix et images*, n° 48, printemps 1991, p. 493-502.

HAREL, Simon, « La parole orpheline de l'écrivain migrant », dans *Montréal imaginaire, ville et littérature*, sous la direction de Pierre Nepveu et Gilles Marcotte, Montréal, Fides, 1992, p. 373-419.

ROYER, Jean, « *La Québécoite*, ou Montréal vu comme Tour de Babel », *Le Devoir*, 19 mars 1983, p. 19.